U0149214

書海浮生錄

亞 菁 著

文學叢刊

文史哲出版社印行

國家圖書館出版品預行編目資料

書海浮生錄 / 亞菁著. -- 初版 -- 臺北市：文史哲, 民 98.08
頁: 公分. --（文學叢刊；225）
ISBN 978-957-549-861-0(平裝)

1.書評

011.69　　98014005

文學叢刊 225

書海浮生錄

著者：亞菁
出版者：文史哲出版社
http:// www.lapen.com.tw
e-mail：lapen@ms74.hinet.net
e-mail：lapentw @gmail.com
登記證字號：行政院新聞局版臺業字五三三七號
發行人：彭正雄
發行所：文史哲出版社
印刷者：文史哲出版社
臺北市羅斯福路一段七十二巷四號
郵政劃撥帳號：一六一八〇一七五
電話886-2-23511028・傳真886-2-23965656
實價新臺幣二八〇元

中華民國九十九年（2010）一月初版

ISBN 978-957-549-861-0　　08225

書海浮生錄

目次

一朵璀璨的花

——「出版月刊」的創刊、經過和停刊

曾有人說：「若是和誰過不去，可以請他辦雜誌。」乍聞似乎危言聳聽，又帶有戲謔的意味。可是一般對較具水準的雜誌的浮沉，稍為有接觸的讀者，雖未必全然首肯，相信也有少許「於我心有戚戚焉」的感覺。目前文壇的雜誌，有如雨後春筍。不下數十百種。可是如果將那些專門販賣「拳頭」、「枕頭」而獲得暴名鉅利的雜誌，略去不計外，稍具水準的刊物，命運又是如何呢？從「文學雜誌」、「現代文學」、「純文學」、到「文學季刊」，停辦的停辦，休刊的休刊，可見一斑。雖說停辦、休刊或有東山再起的機會，但是一年復一年，讀者望眼欲穿，卻只聞樓梯聲，未見人影來。

當然辦雜誌，尤其是曲高和寡較具水準的刊物，遭遇財力不繼的辛酸不難想見。社會一般短視近利之徒固然比比都是，卻也有若干不惜賠本而執著於文化播種的工作。例如「現代文學」在虧本的清況下，好不容易支持了一段時期最後不得已停辦，聽說最近又重

整旗鼓，準備復刊。而另外一本幾經掙扎，終於停刊了的雜誌，則可能很難有翻身之日，可是它卻爲我們的文化事業寫下璀璨的一頁，這本雜誌便是「出版月刊」。

「出版月刊」創辦於五十四年六月一日，前後發行廿五期，五十六年六月一日而自動停刊。從創刊號到十二號（第一卷），每期始終維持五六十頁篇幅。十三號開始到廿五號停刊（第二卷）逐漸擴大篇幅，從八九十頁至一百十幾頁不等，曾有一期高達一百六十頁的記錄。爲討論介紹方便，筆者姑且將卷一、卷二分割，以探究分析其前後風格變化的痕跡。

「出版月刊」的編者（徐有守）曾詳細說明創辦的動機乃是鑒於當時國內缺乏類似讀者通訊的讀物。一般讀者很難讀到書評、書介，或是讀書指導之類的文章。而當時的一般出版社又忽視書目，不重視廣告，造成一般讀者不知道書店究竟出版什麼書，出版界又有發行什麼新書。「出版月刊」便是爲彌補這兩種缺憾，而編印適合這種需要的刊物。

「出版月刊」的稿約有數項，（一）中外出版動態（二）藏書（三）書刊評介（四）研究方法（五）讀書指導（六）版本學（七）目錄學（八）其他有關學術研究的著作或報告，文長以三千字爲度。「出版月刊」的創辦宗旨，純粹爲服務性質。本來打算全部免費贈閱，後來爲恐虧累過鉅，而將贈送對象限制於（一）公私立大學中學（二）公私立研究機構（三）學術文化團體（四）設有研究單位的政府機關（五）在職之大學教師（六）公私研究機構之在職研究工作者（七）在校之研究生（攻讀碩士博士學位者）（八）知名學者。而對外發行，卷一每期僅收工本費、郵資二元，卷二收五元。

「出版月刊」前期的目錄沒有詳細分類，除一般論文、書評外，有「新書簡介」、「西洋新書簡介」專欄，分別刊載中外新的圖書目錄，並有提要鉤玄的介紹文字，提供讀者購書的參考。又有「美國學術界動態」、「海外學術文化動態」、「國際出版界消息」專欄，專門披露國外文化界的活動，和作家群的近況，讓讀者有更廣博的見聞。爲溝通編者讀者與作者的聯繫與合作，「出版月刊」從第五號開闢「讀者意見欄」（讀者來書），讓讀者有吐露心聲的園地，每期並有「編者敬覆」，不但建立讀者編者彼此深摯的感情，更顯示編者對讀者意見的重視。根據編者粗略的歸納，讀者的意見不外是希望「出版月刊」多刊載（一）學術性的文章（二）介紹西方現代新思想與治學新方法（三）新書介紹不應侷限於商務印書館出版的（四）結結實實。既不一味捧場，又非肆意謾罵的客觀而公平的書評。除新書介紹有實際的困難外，（因爲別家出版的好書很少寄去，而收到的又都是天花亂墜或過分渲染的廣告。）無論學術性或是書評的文字，「出版月刊」都一期比一期踏實，一篇比一篇有創見。且又讓作者公開提出彼此不同的見解，可收集思廣益的效果。而有關新思想、新方法的介紹文字，雖說較爲簡略，可是像吳康教授的「哲學研究的方法」、張金鑑教授的「怎樣研究行政學」都是學有專精，深入淺出的大作，對一般初次閱讀專門皇皇鉅著而又不知如何著手的讀者，頗有撥雲見日的感覺。可惜該專欄的命運，僅維持半載。

「出版月刊」後期的目錄分類比較整齊，計分「論著與專文」、「文學與藝術」和「出版與書」三大類。「論著與專文」是前期學術性文章的延續，但是卻有儘量避免採用同一作者稿件的特色，而且也不再拘束於幾個古老而不能解決的舊案。漸漸偏向行爲科學、存在主義、諸子新釋、藝術理論，可說是一本新舊俱陳，中西互見的文史哲的綜合雜誌。後期的水準更漸趨一致。「出版與書」雖說是沿襲前期「新書介紹」的舊路，但眼界大開，不但國內別家出版的書目紛紛出籠，就是西洋、日本新刊的也俯拾皆是。不但有書評，還增加序跋、簡介。而對一般出版業的趨勢、出版點滴，都有一鱗半爪的刊載。「出版月刊」在商務印書館成立七十週年紀念特刊（十六號），推出「文學與藝術」更是創舉，該專欄不再囿於書評、學術性的文字，而有小說、新詩等創作。且又有名著欣賞，不只有名家手筆，新秀的文字也屢見不鮮。

也有讀者批評「出版月刊」後期的內容，愈來愈深而予人「隔行如隔山」難以接受的感覺。雖然這或許不是可取的現象，但是如果雜誌本身的水準深度日漸提高，讀者開始縱然或有戛戛難入的懊惱，但是讀者接觸較多、較深，潛移默化，也許有一天發現自己的水準更上一層樓，而漸漸能接受，那豈不是可喜的現象嗎？而且當前又是一個所謂「知識爆炸」的新思想時代，除非自認落伍，拒絕接受外界的新思想新方法，否則在人際關係日漸密切，往來日趨頻繁的社會，我們實在急迫而必要將自己涉獵的範圍重新調整，而不可再被古老的模子所束縛。因爲有關自然和實用科學，我們本來就落後別人一大截。就是社會科學雖說以前我們或許和別人不分軒輊。可是一般人也許沒有注意到最近數十年來，外人日新月異的進步拋開不說，我們縱然有進步，也是「牛步化」。

有人說「不要詩，我們仍然可以活下去。」當然你也可以說：「不讀書，我們仍然可以活下去。」可是一個人如果渾渾噩噩，而又認爲人生本來就是犬馬聲色一場，那麼那些嘔心瀝血的作家，他們寧願忍受飢寒的煎熬，世俗的詈罵，而精織細鏤的作品，豈不是變成多餘的贅物嗎？如果我們否定這種看法，那麼唯一途徑便是從作品著手。而良窳雜陳的作品書目，又要靠書評做去蕪存菁的工作。「出版月刊」可說書評、書目面面顧到。儘管這樣，因爲有「若干不可免除的限制」，「出版月刊」也沒有逃避停刊的厄運。雖說後來有「東方雜誌」接替，而風格面目涇渭全異，又不可同日而語了。

談選集
——以余光中編的「秋之頌」等為例

有一則令人氣短報導，首部「台灣現代文學史」竟然不是土生土長的台灣作家或文學工作者編著，而是海峽彼岸遼寧大學蔣秀瑛女士編輯完成的。據說「台灣現代文學史」一書約七十萬言，共三十五章，而張我軍、王禎和、楊逵、吳濁流、鍾理和以及白先勇、陳若曦、陳映真、姚一葦、葉石濤等幾位，都有專章評介他們的作品和創作成就。該報導並說，這是大陸出版界迄今為止，第一部有系統地研究台灣文學發展歷史的文學史。報導最後還特別強調，即使在台灣，也尚未見到這樣一部完整的台灣現代文學史著作。當然，目前我們尚無法肯定「台灣現代文學史」是否真能「比較精細地描述二十年代初以來、台灣現代文學的整個演進脈絡。」但是捫心自問，現代台灣作家或文學工作者，不要苛求他們有卷帙浩繁的文學史專論著作，即使是零星瑣碎、斷簡殘篇的作家傳記，他們到底有多少讓人刮目相看的成績。就像白先勇、陳若曦、陳映真等幾位現代小說家，除零零落落的座談、對話等印象式紀錄外，對他們的作品和創作成就，有系統又客觀的論文專著，到底有沒有呢？孤陋寡聞如筆者，坊間除劉春城君的「黃春明前傳」（在「新書月刊」連載——原題「愛土地的人——黃春明寫作的故事」）外，似尚未有任何某一作家生平、作品爲主題的專著。這種缺憾，對將來有心從事文學史工作有嚴重的限制障礙。短時間無法突破這層限制障礙，不得已退而求其次，若干以某一作家生平、作品爲主角的「選集」便迎運而生。而從事「選集」的編者爲該項工作付出的心血，也相當值得我們衷心的欽佩。當代作家七等生、余光中、梁實秋等選集，以張恒豪的「火獄的自焚」、黃維樑的「火浴的鳳凰」和余光中的「秋之頌」爲個中翹楚。

張恒豪的「火獄的自焚」，副題是「七等生小說論評」，附錄有「七等生的小說評論引得」和七等生自撰的「七等生生活與創作年表」。七等生的小說因爲形式比較隱晦，主題比較怪異，對於他人的激賞或關懷，七等生又常常有冷漠和厭惡的怪異表示，造成毀譽參半、撲朔迷離的窘境。有人將七等生與卡夫卡、喬埃斯、芥川龍之助、杜斯妥也夫斯基等國際級文豪相提並論；卻也有人認爲七等生根本不配稱爲「作家」，說他文體患「小兒麻痺」，說他的作品是異國習俗文化的殘糞的「曲意搜求」、「胡亂吞食」。姑且不論褒貶是否正確，是否可議，站在讀者閱讀立場，無非企盼混淆迷惑獲得相當的廓清，而顯現凸出作家創作的真面目，與陳映真、王禎和、白先勇等比較，七等生算是一位多產的小說家。截至目前除長篇小說「削瘦的靈魂」、「城之迷」、「譚郎的書信」外，中篇短篇的小說集恐怕亦在十冊左右。新詩、散文、評論尚且不計，照一般作家的歷史定位應以作品而論的規矩，七等生顯然相當的委屈，因爲陳映真、王禎和、白先勇等人的小說數量，與七等生相比，簡直不成比例。可是他們三人小說地位被肯定的程度，顯然高出七等生，且又高出相當的程度，這是相當讓人困惑納悶的事實。

張恒豪的「火獄的自焚」，幾乎網羅所有論評的菁華，其中犖犖大者，發表當時引起文壇側目的，便有葉石濤的「論七等生的小說」、高全之的「七等生的道德架構」等。唯一讓人覺得遺憾的，沒有將七等生的自辯力作，像「維護」、「真確的信念」等收入，可謂美中不足。

黃維樑編著的「火浴的鳳凰」，副題是「余光中作品評論集」，附錄有「余光中年表」、「余光中著作編譯目錄」和「評論、介紹、訪問余光中的文章目錄」。就像七等生，余光中也是一個多產的作家。雖然余光中也有翻譯，也有評論專著，毫無疑問，他的詩集、散文才是奠定他的作家地位。粗略估計，余光中約有四五百首詩、二百篇散文。就散文而論，他的地位可和魯迅、周作人、錢鍾書、梁實秋、林語堂等人媲美頡頏，且毫無愧色。誰都知道，散文是一切寫作的基礎。對於散文寫作，他曾道出個中三昧：「我嘗試把中國的文字壓縮、搥扁、拉長、磨利。把它拆開又拼攏，折來且疊去。爲了試驗它的速度、密度和彈性，我的理想是要中國的文字在變化各殊的句法中，交響成一個大樂隊，而作家的筆應該一揮百應，如交響樂的指揮棒。」秉持這條規則，余光中的散文爐冶口語、文言和歐化語，卻又能摒除口語的鄙陋、文言的造作、歐化語的詰屈聱牙。黃維樑以「精新鬱趣、博麗豪雄」八字形容余光中的散文。精是精錄，新是創新，鬱是沉鬱、鬱茂，趣是幽默趣味，博是廣博，麗是瑰麗，豪是自豪，雄是雄渾。而現代詩曾經有人指斥爲僵斃，坦陳現代詩爲沒落。現代詩最讓人詬病的便是紀弦等人成立現代派，標榜的「橫的移植，而非縱的繼承」。僵硬將西方的達達主義、超現實主義等囫圇吞棗，漠視文學體勢的一般原則，一時晦澀虛無的詩篇俯拾皆是，一時夢魘潛意識的世界幾乎人云亦云，讓人有誰都可以寫作新詩的錯覺。而余光中卻獨樹一幟，回歸和擁抱傳統。他不但沒有被驚濤駭浪的洪流湮沒迷失，他與虛無說再見，走出晦澀的迷宮，強調一位真正的現代詩人，對於傳統的態度應該是「知道如何入而復出，出而復入，以至自由出入。」試想曾經叱咤赫赫又縱橫於詩壇，誰能像余光中近屆花甲而創作仍無中輟呢？

黃維樑編著的「火浴的鳳凰」，自稱對初讀余光中的人是一本導論式的書。其實對從事研究者也有相當的裨益。無論是詩論、散文論，無論是總論、分論，都以出版年代先後爲序，有時恐怕掛一漏萬，特別節錄論文的片斷。這種編排對研究余光中的工作，厥功宏偉。張恒豪的「火獄的自焚」，說明作家在「時間裏自焚」有如煉獄的苦難煎熬。而黃維樑的「火浴的鳳凰」，說明作家的成長，有如鳳凰每隔五百年都自焚一次，以求更生。兩書命名異曲同工，前後輝映。

余光中編的「秋之頌」，副題是「梁實秋先生紀念文集」。附錄有梁氏的「我的遺書」和聯合報副刊的「梁實秋印象」與「國際學界看梁實秋」。余光中編「秋之頌」原來是計劃搜集最近十幾年來的比較重要論述梁氏的文章，當爲梁氏八十七歲（陰曆臘八）華誕的祝壽文集。讓人遺憾，梁氏竟然早走一步，因心臟病突然與世長辭。迫使「秋之頌」焚祭於淡金公路旁的北海墓園，令人無限酸鼻嘘唏！「秋之頌」雖然只是一本普通的紀念文集，對當代文學，尤其是散文的範疇卻有跨邁前人的視野。頗有「言人所未言，發人所未發」的成績。譬如梁氏論散文，強調現代散文有兩大缺點：「一是太過於白話化，連篇累牘的『呢呀嗎啦』，絮絮叨叨，令人生厭。一是過分西化，像是翻譯，失掉了我們自己國文的味道。」因爲散文過度白話化，又沒有將翻譯句法消化，造成一般散文貪多無饜，沒有章法，支離破碎。針對這種弊端，梁氏以他數十年寫作散文的心得。提出「文章要深，要遠，就是不要長」、「把枝蔓的地方通通剷去，由博返約。」的肺腑忠言。他的「雅舍小品」前後風行長達五十年。（「雅舍小品」原是梁氏不惑之年，應劉英士「星期評論」邀請寫的專欄，每期兩千字）。如今將成絕響。翻閱數集的「雅舍小品」不難明白，梁氏「用文言的簡潔，以濟白話的嚕囌，堅持中文的純粹，以解西化的生硬。」（余光中語）於是不管抒情抑是議論，維持在三千字以內。梁氏更強調「簡短乃機智的靈魂」。短短兩三千字，文言白語，中文外語，莊敬諧隱雜列並陳，卻無繁瑣沓沓。誇張不流於戲謔，含蓄不陷於晦澀，伸縮自如、點到爲止。與吳魯芹、錢鍾書、周作人、豐子愷、思果等人成爲五四以來數一數二的散文家。其次，梁氏秉持一位作家必須全面觀察人生的原則，認爲「只要真實流暢，也是好的。」他反對將抗戰的材料，刻意截搭在文藝的尾巴，徒然空洞。而面對當時左派人多勢眾，吶喊譁眾的陣營，梁氏並未三緘其口，挺身提出文學必須正視普通恒久的人性，必須超越階級性，更不可隨時代倏忽瞬變的洪流汨沒而無法自拔。盱衡寰宇，文學的本質，原理的倔強屹立，又豈是區區數綹僅憑潑辣謾罵之徒所能搖撼。

「秋之頌」獨樹一幟爲其他選集望塵莫及的，便是長達四十八頁的「梁實秋先生簡譜初稿」（旅居澳洲墨爾本的胡百華所編）。「簡譜初稿」以年歲爲經，繫以梁氏一生的著作、交遊。對於未來有志寫梁實秋傳，抑是文學史，提供翔實的第一手資料。像胡適發表「文學改良芻議」，鄭振鐸、沈雁冰、周作人、許地山等人創立「文學研究會」，郭沫若、郁達夫、成仿吾等人成立「創造社」幾件風雲際會歷史事件，都有確定日期，讀者只要披閱「簡譜初稿」，有如按圖索驥，察尋全不費工夫。

經濟掛帥的社會，追求財富被列爲人生的鵠的。汲汲塵土斤斤錙銖，一切講究實用，一切計較得失，雖然不必誇張面目可憎，言語無味，但對精神層面的延伸提升卻被剝奪殆盡。今日除專家學者爲教學研究不得不苦讀專集全集外，升斗小民實在沒有必要，且現實亦不容許他們有時間去研讀專集全集，於是一般「選集」便應運而生。坊間的「選集」幾乎泛濫成災。可是像「秋之頌」等的選集，可謂鳳毛麟角。「選集」並非東拉西扯的雜燴。一部有價值的「選集」，負責編選的舵手，必定要有嚴肅的文學工作者的態度，所謂「才、學、識」三者缺一不可。

「第三屆鹽分地帶文藝營」追記

一

以「旋風」、「重陽」而飲譽文壇的小說家姜貴面對咄咄逼人、重重困頓的現實，曾無可奈何而感慨地說：「現在，我正多方設法，作種種嘗試，企圖從寫作這一行裏退出。幹這一行硬是會餓死人的。」誰都知道翻譯除非附合潮流，取悅低級讀者，否則是一件既喫力又不討好的工作。因爲譯者畢竟要兼顧讀者與原著的溝通。可是卻也有無數默默地終身不渝將翻譯當爲個人終身的事業。更有人曾調侃地說：「若是和誰過意不去的話，不妨請他辦辦雜誌。」可是儘管「筆滙」、「劇場」、「文學雜誌」、「現代文學」、「文學季刊」，以及「書評書目」等曲高和寡較具水準的雜誌刊物，停刊的停刊，休刊的休刊，卻也有無數人焚膏繼晷，不分晝夜的創辦新的雜誌刊物。儘管雜誌刊物的水準良莠不齊，可是雜誌刊物如雨後春筍的誕生的事實是誰都無法否認的。從二三淺例，可以歸納、印證，任何人從事一種既無盛名、又無鉅利可圖的行業，最主要的還是要一股「狂熱」。

二

「第三屆鹽分地帶文藝營」從七月卅一日起一連四天在台南縣南鯤鯓廟舉行。安排的課程和活動可謂多彩多姿。犖犖大者，有陳映真的「托爾斯泰的生平和作品」、李喬的「歷史素材的小說寫作」、姜穆的「小說人物的時空安排」，瘂弦的「詩的思想性、藝術性和創造性」、朱西寧的「文學的真善美」、趙天儀的「現代詩的美學」、羊子喬的「光復前的台灣新詩」和郭楓的「散文的藝術性和現實性」等專題演講的課程。活動部份安排於夜晚，有簡上仁主持的民謠演唱會、台南安南區十二個民俗團體表演的「七響陣」，另外有張炳煌的書法展、陸鷺的畫展、風雨畫會聯展和蔡江連的貝殼展等。另外又有三場座談會，分別是宋澤萊、李昂、陌上桑主持的「現代小說座談會」、蔣勳、吳晟、鄭炯明主持的「新詩座談會」和台灣日報副刊主編陳篤弘、民眾日報副刊主編黃忠霖、台灣新聞報副刊主編魏端、和自立晚報副刊主編杜文靖主持的「寫作與投稿座談會」。「第三屆鹽分地帶文藝營」比第一、第二屆，增添「文藝創作比賽」，據負責籌劃工作的黃勁運說，該項活動的目的是希望參加文藝營的學員有理論和創作實際配合運用的機會。

三

眾所周知，「鹽分地帶」是一地域的通稱。在地緣上，「鹽分地帶」包括台南縣北門地區的佳里、七股、西港、將軍、學甲及北門等六鄉鎮。這塊土地以產鹽，名聞遐邇。聖經有句話：「你們是世上的鹽」，鹽本來就是力量的象徵。而文藝本是人類心靈的鹽。可是這塊土地，經年月久遠的侵蝕，整塊土地充滿濃馥的鹽分。有識士紳便將這塊土地稱爲「鹽分地帶」。就文學領域而言，、「鹽分地帶」爲五四運動後台灣文學的一大支流。遠在日據時代，就有林芳年、王登山、吳新榮、徐清吉、郭水潭等前輩作家篳路藍縷的拓荒筆耕，以其如椽之筆寫盡無奈抗議精神。他們的具體成果是藉頻繁的文藝活動與全省各地散佈的作家聯絡結合，彼此勗勉，共襄推動中國新文學的命脈。並邀請內地作家如郁達夫等彼此「以文會友」互相切磋，遂使「鹽分地帶」在中國文學史上佔有一席之地。而三十四年日本軍閥無條件投降後，台灣光復重回祖國懷抱，前輩作家因爲語言、文學的隔閡（他們大都受日本教育）除二三位（像鍾理和、楊逵、鍾肇政等）外，幾乎全部功成身退，所有文藝活動也暫歸寂寥。淺而易知的是，因爲前輩作家要抗議的對象消失，文學情愫無法再受激發。其次因爲生活環境的突變，爲適應新的環境，也迫使他們不得不消聲匿跡。不過這一種過渡的現象只是暫時的。畢竟台灣新文學運動曾經有二十餘年輝煌燦爛的歷史，累積有相當深厚的根源。這些根源默默地在傳達、運輸，於是四、五十年代「鹽分地帶」新生的一代，在接受正統的新文學教育薰陶後，作家又如雨後春筍在文壇嶄露頭角。這些新生一代的作家，爲發揚恢閎前輩作家坎坷崎嶇的開拓精神，會商決定擴大舉辦「鹽分地帶文藝營」。最近（尤其是六十年代左右以後）新的代作家更蔚成一股有如排山倒海的力量，形成無數令人驚羨的花蕾，一一在文壇綻放亮麗的花朵，收穫可謂豐碩。

四

「鹽分地帶文藝營」舉辦的宗旨在於（1）探討新文學的淵源流變，研究新文學的各種類型及其風格的發展，剖析各種類型的表現技巧。（2）提倡新文學的正規教育，讓文學與鄉土互相結合，厚殖培養青年的創作與鑑賞能力。（3）寓教化於娛樂，藉文藝營多元性的活動，以收潛移默化，昇華人性情操的功效。（4）激盪「鹽分地帶」喜愛文藝青年的創作風氣，開拓「鹽分地帶」更遼闊、更深遠的文學境界。至於「鹽分地帶」文學產生的背景，前人大致歸納爲三點（1）歷史文化的淵源——就整個台灣文化史的演變來說，台南市是縱的繼承，台南縣是橫的發展，而台南縣又以佳里鎮的文化最爲源遠流長。（2）經濟繁榮的造成——佳里鎮當時以盛產的荖藤與皇帝豆聞名全省。又是北門郡商業轉運站、幾乎農、漁產品都在佳里鎮交易。（3）寫作風氣的盛行——日據時代從事文藝創作的作家本來就寥寥無幾，從事新詩創作的更是絕無僅有。但是佳里鎭卻擁有五六位重要詩人活躍於當時的文壇。

五

天生有幸，個人從來就少參與文藝營之類活動，首度參加「第三屆鹽分地帶文藝營」竟然目睹三位鼎鼎大名的小說家，又僥倖承蒙他們的不棄，詳細指點創作與鑑賞的訣竅。三位小說家是陳映真、朱西寧、和黃春明。以「將軍族」、「第一件差事」、「夜行貨車」飲譽文壇的陳映真專題演講題目本來是「托爾斯泰的生平與作品」，他卻以「成爲一個作家的條件及寫作方向」當副題，見解精闢，贏取無數不絕的掌聲。他認爲作家創作決不是爲追求美譽、地位。創作方向要了解肯定本國的文化傳統，(即根源問題)，掌握本國語言的運用。目前一般作家最大的困境便是語言障礙。因爲使本國的語言豐富是作家無可旁貸的職責。其次便要直接或間接去體會生活，直接的體會是與廣大民眾實際接觸，以敏銳的觀察力去獲得人生的經驗。間接的體會是從閱讀下手，從數千數百年無數作家的作品，尤其是被肯定、被公認的去挖掘。而後以托爾斯泰之所以偉大，在於托氏是從上流社會到下流社會，都曾親自體驗當結論。朱西寧的短篇小說「鐵漿」、「狼」、「破曉時分」，文壇有口皆碑。近作「八二三註」更是氣勢磅礡，類似史詩的長篇小說。個人對他的早期成名長篇小說——「貓」的主題頗有疑惑，曾經精品細讀三遍，卻無法像其他長篇、短篇小說一樣獲得具體而明確的結論，讓個人心服口服的主題。當面將前後詳細的困惑向他稟告請益。他說：「你不妨再精品細讀一番。」個人心直口快回答說「依個人閱讀小說的膚淺經驗，如果精品細讀三遍，還無法獲得具體而明確的結論，不是作家創作有問題，便是個人鑑賞能力有問題。」他不慌不忙斬釘截鐵的說：「作家就是『貓』是主題。」簡潔俐落的一句話，對有心研究「貓」的主題，可說無疑是警世的木鐸。大器晚成的黃春明，看他的打扮可謂風塵僕僕。從「兒子的大玩偶」、「鑼」、「莎喲娜啦再見」、「小寡婦」以及「我愛瑪莉」的轉變突兀，就像陳映真的「夜行貨車」、「華盛頓大廈」讓讀者有措手不及的無法接受。有關「我愛瑪莉」的主題，黃春明同意台大齊益壽教授的精闢評介。可是就一般讀者而言，不管陳映真、黃春明的近作是突破或超越早期作品的成績，無疑的他們的早期作品，尤其像陳映真的「第一件差事」、黃春明的「看海的日子」等短篇小說是永遠讓人懷念的。可是以前就有人戲稱「鑼」聲似乎愈來愈遙遠。換個陳腔爛調，「唐倩的喜劇」恐怕「喜劇」的意味也愈來愈清淡。

六

宋澤萊、李昂、陌上桑主持的「現代小說座談會」的主題是「台灣文學的發展方向」，細分為未來的台灣文學發展，是否仍沿襲寫實傳統？台灣文學真的會是中國文學的邊疆文學嗎？三十年來的台灣文學在中國文學的位置如何？各種文學獎給台灣文學帶來何種影響？雖然標題是「台灣文學的發展方向」，可是發言的重點全部擺在小說。當時發言的踴躍場面讓人感動。在歸途中，個人有一個始終無法解決的困惑，爲什麼目前文壇小說新手輩出，可是他們似乎過分情緒化，似乎無法耐住寂寞。如果他們只是賺取稿費而維持基本生活，那麼何必踐踏自己的「筆名」，何不隨便挑個讀者都不認識的名字呢？試想想一個作者要成「家」談何容易呢？試想想陳映真、朱西寧、黃春明等小說家，他們在成「家」以前的過程到底是如何的坎坷、如何的崎嶇呢？所謂「耐住寂寞，才可成一人物。」所謂「時間是歷史最正確的見證人。」洵非虛言。

「禁忌的狩獵」的迴響
——從陳映真的短篇小說談起

偶然碰到被查禁的書刊，完全是巧合與機運。而只要書刊被查禁，不管內容如何的良窳，印刷裝訂如何的好壞，通常多多少少比較容易引發讀者的好奇與閱讀的衝動。而人性的弱點是越看不到的東西，越想找尋來看看。這種觀點就像俗語常說的「太太是別人的好」、「喫不到的葡萄是酸的」一樣的淺顯、一樣的無稽。當然書刊被查禁，必有存在的緣由。一般而言，不外是那種書刊容易蠱惑讀者、迷失讀者。但是要「誰來決定查禁書刊的危險性呢？」。而且就一般事實常理推論，被查禁的書刊粗劣的紙質、印刷、裝釘的盜印翻版充斥市場所造成的無形後果，恐怕比沒有被查禁產生更大的震撼、更強的沖擊。

陳映真的短篇小說，早期都發表在「筆匯」、「現代文學」、「文學季刊」等頗具水準的雜誌，也曾贏得無數讀者有口皆碑的激賞。陳映真停筆七年，香港出版有「陳映真選集」，而以「臺北人」飲譽文壇的小說家白先勇就曾說他的身邊常帶著這本選集。而遠景出版社於六十四年十一月將陳映真早期的短篇小說結集爲「將軍族」、「第一件差事」。「將軍族」收有「我的弟弟康雄」、「家」、「鄉村的教師」、「故鄉」、「死者」、「祖父和傘」、「那麼衰老的眼淚」、「文書」、「將軍族」、「悽慘的無言的嘴」和「一綠色的候鳥」等十一篇，而「第一件差事」收有「兀自照耀著的太陽」、「最後的夏日」、「唐倩的喜劇」、「六月裏的玫瑰花」和「第一件差事」等五篇，被列爲遠景叢刊24、25。兩本小說集前同樣有尉天驄的序和許南村（陳映真的化名）的「試論陳映真」。當時喜愛陳映真小說的讀者，期待企盼，爭相預約，沒有想到「將軍族」出版不久就被查禁。「禁忌的狩獵」的作者提及陳映真的朋友告訴他。「將軍族」被查禁的理由是因爲該書「將軍族」一篇有「鴿子們停在相對峙的三個屋頂上，恁那個養鴿的怎麼樣搖撼著紅旗，都不起飛了」一段有「紅旗」的字眼。接著「禁忌的狩獵」的作者，又認爲如果只是因爲這段文字有「紅旗」就查禁該書，顯然沒有具體的理由。因爲那段文字就字面而言是象徵毛共三面紅旗的全面破產，顯然比陳若曦小說「尹縣長」、「歸」和「老人」等更有反共力量。拙見以爲作者提及陳映真那位朋友列舉被查禁的理由顯然有待商榷的餘地。個人簡陋揣測以爲既然「第一件差事」目前照常發行，「將軍族」卻被查禁，彼此比較，不難窺測蛛絲馬跡的端倪，恐怕是「將軍族」裏的「文書」的主要人物安師長、排長關胖子有暗射某人，而且情節有問題。其次「我的弟弟康雄」、「鄉村的教師」、「死者」、「文書」等都有濃郁的悲觀消極色彩，且幾乎篇篇都有自殺死亡的情節。再其次「家」、「故鄉」等都呈現對家庭、故鄉的厭惡。而「那麼衰老的眼淚」、「悽慘的無言的嘴」、「一綠色的候鳥」等不是精神病患者的悲歌，便是有地位的如「那麼衰老的眼淚」的康先生，或是「一綠色的候鳥」的季叔誠教授，都娶下女有妨清譽。

雖說「文學作品原本虛構」，但是讀者的警覺性卻良莠不齊。程度高而身心健全成熟的讀者，無庸諱言他們可以體會出陳映真在當代中國小說家具有一顆「對痛苦、對人加於人的殘忍特別敏感」，而且可以體會出他的小說具有人類彼此無比可貴的愛心和難得的人道精神。可是程度低而身心尚未健全的讀者，也無庸諱言他們恐怕無法體會出陳映真小說的真正意義，而只是從他的小說的字裏行間，斷章取義去挖掘悲觀消極的主題，甚至走向自殺而無法自拔的境地，這不就是讀者受其蠱惑而迷失，而被查禁的具體理由嗎？個人也曾爲「將軍族」被查禁的具體的理由深深困惑。六十五年二月間曾以書面向遠景出版社請求答覆該書被查禁的真正而具體的理由，該社二月二十四日函覆說：『「將軍族」一書，所以停止發售，那是遵奉政府指示。』（附該函影印）既然政府指示停止發售「將軍族」，而讓同時出版的「第一件差事」繼續發行至今，政府必定有具體的理由，只是政府有不便說明「那一章那一節，或是那一字那一句不妥」的苦衷。不然的話，陳映真停筆復出後於六十八年十一月出版的「夜行貨車」列爲遠景叢刊154，除收集有他的新作「賀大哥」、「上班族的一日」、「夜行貨車」外，另收有早期沒有收入「將軍族」、「第一件差事」的「少時的一些慘綠的感傷、一些無氣力的悲忿和愛」的作品——「哦！蘇珊娜」、「獵人之死」、「麵攤」、「永恆的大地」、「某一個日午」、「累累」、「加略人猶大的故事」、「貓他們的祖母」、和「蘋果樹」等，竟又有「將軍族」、「祖父和傘」兩篇原收入「將軍族」的小說。而且陳映真的朋友所提及該書被查禁的理由的那段文字竟然也沒有被刪除，而且「夜行貨車」目前並沒有被查禁。顯然地，陳映真的朋友所提及該書被查禁的理由的話是令人懷疑的，而且不可信的程度又相當的高。

當然就如「禁忌的狩獵」作者所說的，目前查禁圖書的尺度寬緊不一，查禁圖書對作者也許產生很大的挫折。雖然查禁一本書實在是一件嚴重的事情，可是就像有人提倡全面開放「三十年代文學作品」，而且態度既激昂又堅決。其實，誰不知道三十年代文學作品的藝術技巧成就，根本趕不上四、五十年代，更遑論要與六、七十年代文學作品媲美、並駕齊驅呢？個人深信政府對查禁或開放圖書，必定經過許多專家學者再三詳細磋商斟酌，然後再下謹慎而明智的決定，至於說要求政府列出查禁具體的理由，個人深信政府必定認爲如果說明查禁圖書具體的理由，恐怕所造成的後果及引發的困擾，更無法再一一詳細解釋，而且解釋不一定被接受。政府必定有苦衷，因爲我們畢竟是一個開放性的社會。

後記：

從一九七六年到一九八一年將近五、六年的歲月，個人若干不夠成熟泛泛淺見的文字全部輯爲「現代文學評論」一書，於一九八三年二月付梓出版，廿年匆匆又過去了。拙著收有兩篇有關人稱永遠的小說家——陳映真的評介，一爲「一則故事兩種寫法——以陳映真的『唐倩的喜劇』和七等生的『期待白馬而顯現唐倩』爲例」，一爲「試析陳映真的『第一件差事』」。前者發表於一九七九年的「中外文學」，後者發表於一九八一年的「台灣文藝」。如果個人沒有健忘的話，兩篇評介先後投稿給中國時報人間副刊、聯合報副刊。人間副刊當時主編是誰，今日已無記憶。聯合報副刊當時主編絕對是瘂弦（王慶麟）。如果個人沒有記錯的話，人間副刊原擬採用拙文，竟然將原稿遺失，當時又沒有影印存稿。主編要個人另寫一篇，這就是發表於「台灣文藝」的那篇。而瘂弦多年關注厚愛個人，他幾次皆建議個人不妨將稿件發表於「幼獅文藝」。瘂弦是個人今生今世感激而懷念的人。也許他已經忘記這件往事，可惜當時來往多年的書信，因爲個人離開故鄉遷居外地服務而不幸全部遺落，否則他應該不會忘記對個人評介有關陳映真的看法，這就是發表於「中外文學」那篇的前因後果。

「禁忌的狩獵」刊於一九八一年六月的「書評書目」九十七期。該文提到被查禁書刊的種種。且又特別以胡蘭成的「山河歲月」和陳映真的「將軍族」爲例說明。文末特別強調盼望有關當局在查禁書刊時，「能夠具體寫明，某一本書查禁的理由，到底因那一章那一節，或者那一字那一句不妥。」依個人淺見，尙未解嚴前，查禁書刊誰都知道應是意識型態才是關鍵瘂弦幾次在信裏要個人儘量不要評介陳映真的小說，且又忠厚婉轉說若干含蓄的理由。其實在一九八一年六月前，個人與陳映真完全陌不相識。他的小說集「將軍族」、「第一件差事」初版於一九七五年，個人手頭正有這兩本初版小說集。在一九七五年前個人僅是從「筆匯」或「現代文學」等舊雜誌斷斷續續，零零落落讀到陳映真的小說。且不揣譾陋，曾經在一九七六年寫成三四千言的「陳映真小說的死亡故事」。猶記得當時「中外文學」剛創刊，劉紹銘有關陳映真小說的評論——「愛情的故事」首次披露，曾將拙文投寄「中外文學」，結果沒有被採用，那年個人初爲人父，瑩瑩出生，廿八年過去了，她已經爲人婦爲人母，而個人將屆耳順，檢視舊作，稍加潤飾，敷演爲六七千言。

一九八〇年秋天，個人不幸長達半年被惡疾所困，幾乎走向自戕不歸路。蒼天憐憫，幸獲貴人爭相奔波扶救，保全這條從鬼門關撿回的小命。那時個人才卅五六歲，從那場大病後，個人才真正體會人類無比可貴的愛。而這也正是「禁忌的狩獵」作者特別強調陳映真作爲一個文學工作者有一顆「對痛苦，對人加於人的殘忍，特別敏感」的心。而那時也因爲參加鹽分地帶文藝營，初識陳映真。廿幾年來，他對個人身體健康的關注，對個人校釋古籍的嘉勉程度的濃郁，絕非常人所能想像。拙文「從陳映真的短篇小說談起」只是「禁忌的狩獵」的迴響，當時投寄「書評書目」，結果僥倖被採用，版面編排妥當，出人意料，「書評書目」卻因經費短絀被迫停刊，剛好整整出刊百期。該刊當時特別來函，今將函文抄錄如下：「貴稿原擬留用，奈因本刊決定停刊。大作只好奉還，謝謝您長久以來對本刊的支持，希望我們還有文字來往的機緣。因擬留用，貴稿稍受羈延，有勞懸念之處，至感難安。耽誤貴稿其他發表的機會，千祈賜諒爲感。（下略）」

略敘「阿Q正傳」一二

林皎宏君大作——「人間猶有未燒書——漫談禁書滄桑」提及十幾年前偶然獲得一冊魯迅的「阿Q正傳」，當時又驚又喜，「每次翻閱總要關門閂戶，確定沒有閒雜人等，方敢放心讀下去。」無獨有偶，二十年前，我卻將「阿Q正傳」手抄兩部，一部比較工整的送給鼓勵我影響我最多最深的洪碧君，不知她尚有沒有保存。一部字跡幼稚笨拙的，目前還保存在我身邊，可惜紙張變黃。事情的經過是這樣的：二十年前，我還是師大新鮮人，當時根本不知有什麼三十年代作品，魯迅在我的印象也僅知道是一個作家而已。當時有位外省籍的同窗姜善鑫君（台灣大學地理系客座教授——據摯友蘇丁貴君說）不知從那裏弄來袖珍本的「阿Q正傳」，紙張粗劣無比，裝訂又相當馬虎，而且又是中日文對照，上欄日文下欄中文。當時我既沒驚也沒喜，竟能不厭其煩手抄兩部，絕不是如獲至寶的心理作祟，僅僅是當時坊間根本沒有三十年代作家的盜印作品。現存手邊抄本的「阿Q正傳」是六百格台灣省立師範大學的稿紙，雖然有四十四張，卻因對話篇幅有相當比例，粗略估計，恐怕不會超過十四五萬言。前不久，又在坊間買回香港南國出版社印行的「阿Q正傳」，封面有幅吸食鴉片漢子的圖畫，粗人一看都知悉是書商盜印。正文只有四十八頁，附錄竟達六十頁。粗淺推測，盜印書商爲銷路贏利不惜增加篇幅，將夏濟安的「魯迅作品的黑暗面」，和夏志清的「魯迅」兩篇宏文當成書末附錄，又將趙聰的「關於『阿Q正傳』」放在正文前面。其實「魯迅作品的黑暗面」一文原刊於英文版的「亞洲學會專刊」（一九六四年二月號），後來林以亮譯成中文，收進「夏濟安選集」（志文出版社的新潮叢書），可惜卻刪去將近廿條附註，盜印版的「阿Q正傳」卻將附註保留。而「魯迅」一文則是「中國現代小說史」第二章，原是夏志清的英文鉅著，該章由李歐梵中譯，該書譯者尚有思果、水晶、董保中、林耀福等多位著名作家學者。中譯本由傳記文學雜誌社出版。夏氏兄弟的著作坊間容易購得，無庸置喙。僅就趙聰的文字，略敘一二，或許對讀者有纖芥裨助。

「阿Q正傳」全書九章，除第一章序外，其餘八章分別是優勝記略、續優勝記略、戀愛的悲劇、生計問題、從中興到末路、革命、不准革命，和大團圓。書本標識寫作於一九二一年十二月。

「阿Q正傳」原先是發表於北京晨報的「星期附刊」，是編輯孫伏園硬拉的稿，並非魯迅自動要寫的。而魯迅最初的創作態度完全是遊戲筆墨，並非相當嚴肅，僅僅是要讓讀者開心開心而已。當時每週發表一章，共分九次刊完。首篇是全篇的序文，因爲要刊於附刊的「開心話」版，有關正傳的由來，阿Q的姓名籍貫的考證，寫得相當滑稽輕鬆全無意義。沒有想到魯迅從第二章「優勝記略」開始態度竟然抱著寫作小說的嚴肅態度。使用手法處理題材不再適合「開心話」的旨趣，不得不移在「文藝版」刊出。魯迅原先既不是有心的正式寫作小說，捨棄原有的魯迅筆名而改用「巴人」作筆名，意取「下里巴人」的粗俗。據說魯迅本想早就將「阿Q正傳」結束，早就將最後一章「大團圓」寫好，無奈編輯孫伏園絕不同意，堅決要魯迅繼續寫下去，造成有許多原本是別人而不牽涉阿Q的事情居然全部寫入「阿Q正傳」。沒有想到，當時孫伏園突因要事離開北京，編輯改由何作霖代理，魯迅趁此良機推出「大團圓」，待孫氏趕回發覺，阿Q已被正法許久。

「阿Q正傳」據說在魯迅腦海醞釀有相當一段時間。他的兄弟周作人更坦白指出阿Q確實有這麼一個人，他是魯迅故鄉紹興的外來客，姓謝名阿桂。「Q字是阿桂的象徵——頭上墜著一根彎曲的小辮」。這個人整日無所事事，他既會喫又懶惰，魯迅又將阿Q鑄成愚蠢、狂妄、可笑又可恨的典型，集人間眾生的劣根性於一身。魯迅又以其極尖酸刻薄冷嘲熱諷的筆調，無情挖苦。現實社會或許沒有像阿Q這樣的人，可是人人骨裏都或多或少存有阿Q的劣根性。如果魯迅只是一味玩世不恭的鞭撻，恐怕「阿Q正傳」將淪入嬉笑怒罵的打渾窠臼。而魯迅的「阿Q正傳」的成就，迫使新文學運動後期的作品無法與其匹敵，在於魯迅賦予阿Q相當程度的憐憫同情。而且全篇使用反語和曲筆等中國古典諷刺小說的傳統，再加進西洋諷刺作品的獨特含蓄，終於使魯迅獨樹一幟，也使得「阿Q正傳」成爲「現代中國小說中唯一享有國際盛譽的作品。」（夏志清語）

試析張愛玲「半生緣」的愛情觀點

一

猶記得幾年前，有人爲論定張愛玲的作家地位爭辯面紅耳赤，眾說紛紜。平心而論，有不少的爭辯實在相當無謂的。要論定某位作家的文學史地位，決定的關鍵在於作品。而作家的作品多寡並非衡量地位的條件。古今中外，不少終身筆耕，著作等身卻往往停留於三四流的角色。卻又有不少以一本著作而垂名青史。其次有人高唱衡量作家的地位，必要以長篇爲依據。然而像莫泊桑；魯迅耽嗜短篇又要如何自圓其說。今日讓我們冷靜檢試張愛玲的作品除短篇小說集外，「秧歌」和篇幅較長的「赤地之戀」，因爲牽涉政治決策，愛情故事恐尚在其次。而「怨女」又是「金鎖記」的改寫。要說張愛玲的愛情故事小說，自然非「半生緣」莫屬。而一提及愛情故事又難免與閨閣派、脂粉氣等鄙俗字眼混淆，往往又遭人輕蔑。可是試將愛情故事抽離，不知作品又剩多少骨肉。讚譽張愛玲是我國自有李清照以來最優秀的一位女作家，我們固然不輕易首肯。貶毀張愛玲的「半生緣」既瑣碎又拖沓，類似「起居注」，我們也不敢率爾苟同。在坊間汗牛充棟的愛情故事小說，疊床架屋的一再重複呻吟，我們僅願重新就「半生緣」析論張愛玲的愛情觀點。

二

「半生緣」原名「十八春」，又名「惘然記」。全書將近三十萬言，寫的是三十年代，背景是上海，時間雖以八一三抗戰前後爲主，卻沒有像王藍的「藍與黑」、徐速的「星星、月亮、太陽」有兵荒馬亂的氣氛。「半生緣」的情節推展仍舊維持張愛玲短篇小說細膩的特質，卻又能把握長篇小說應有的波瀾。文字仍舊維持張愛玲平淡而又近於自然的筆調。

「半生緣」雖有插入家庭倫理的支支節節，畢竟仍是言情的小說。通篇仍是張愛玲一貫所謂「女性本位主義的唏噓」。所謂造化的弄人，所謂倫常的崩潰等等，都一再加深強調怨偶的不幸，女性的悲恨。「半生緣」實際只寫顧曼楨與沈世鈞的悲歡離合，而許叔惠、石翠芝僅是陪襯。而顧曼璐、祝鴻才的搭配卻是情節推展的總樞紐。顧曼璐嫁給祝鴻才固是怨偶，沈世鈞與石翠芝的結合，亦是將錯就錯的婚姻。世鈞、曼楨相戀前後十四年，最後卻是石翠芝「感到一絲淒涼的勝利與滿足」。歸根究底，沒有一對男女得到正常美麗的愛情，他們的愛情都是破碎的、變質的。

三

一個大作家，對某些故事幾乎都有偏愛，在他的作品都會一再重複出現，就像交響樂的主題。沈世鈞、顧曼楨的戀愛本是男女單純的相悅，應是凡夫俗子結爲連理的通俗題材。曼璐與鴻才狼狽爲奸污辱曼楨，固然是造成世鈞和曼楨終生遺憾，而張愛玲卻認爲時間是殘酷的。她說：「感情這樣東西是很難處理的，不能往冰箱裏一擱，就以爲它可以保存若干時日，不會變質。」花前月下的卿卿我我，海枯石爛的山盟海誓，往往都變成渺茫，沒有確切的信念，何況前後長達十四年。有人說：「人的一生戀愛一次是幸福的。」曼楨曾對世鈞說：「我要你知道，這世界上有一個人是永遠等著你的。不管是什麼時候，不管是什麼地方，反正你知道，總有這麼個人。」空間的阻隔，時間的交迭有時固然無法沖淡彼此相悅的情愫，一輩子有一回那樣的戀愛固然值得滿足，可是張愛玲卻又強調：「愛不是熱情，也不是懷念，不過是歲月。」彼此沒有深厚的感情基礎固不待言，就是兩個要好到某一個程度，有時中間稍微有點隔閡，雙方就不能不感覺到深深的洪溝。戀愛雙方，借張愛玲的話：「聰明起來比誰都聰明，糊塗起來又比誰都糊塗。」戀愛男女「隨和起來是很隨和，可是執拗起來也非常執拗。」沒錯，戀愛應該是很自然的事，戀愛應該也是相當理智的事，有時「情人眼中出西施」，可是有時卻「無法容納一粒細砂」。糊塗、執拗往往加深洪溝的裂痕，雙方若無隨和退讓，誤會便容易發生。曼楨沒有錯，世鈞也沒有錯，而是時間的錯誤。

四

前面說過大作家的作品都會有一再重複出現偏愛的故事，張愛玲自然亦不例外。「半生緣」塑造沈世鈞、石翠芝、祝鴻才、沈曼楨的怨偶結局，便是張愛玲的典型角色。張愛玲認爲「夫婦倆共同生活，如果有一個人覺得痛苦的話，其他的一個人也不可能得到幸福的。」沈曼楨、祝鴻才固然是痛苦，沈世鈞、石翠芝其實也沒有得到什麼幸福。想想石翠芝洞房花燭竟對沈世鈞說：「怎麼辦，你也不喜歡我。我想過多少回了。要不是從前已經鬧過一次——待會人家說，怎麼老是退婚，成什麼話？現在來不及了吧，你說是不是來不及了？」夫婦雙方幸福必須彼此專心刻意營構，毫無保留付出。試想當石翠芝有時生氣總是說：「我真不知道我們怎麼想起來會結婚的。」沈世鈞又當何感想。這就難怪他要說：「我們這種生活，實在是無聊……人生不就是這麼回事嗎？」再看看顧曼楨的心理狀態，對痛苦不僅是無奈，且顯得麻木。她認爲不幸的婚姻是「自己掘的活埋的坑」，既然是自己掘的，就像是躺在泥塘裏，什麼事都無所謂，什麼事都不值得計較，甚至她感覺外界已經沒有任何東西能夠刺激她的感情，這種生活就像張愛玲所說：「人既然活著也就這麼一天天的活下去。」如果死去倒無所謂，因爲死亡帶走所有痛苦。讓人聳悚的是痛苦帶來「澈骨的疲倦。」張愛玲認爲：「痛苦似乎是身體裏面唯一有生命力的東西，永遠是新鮮強烈的。」死亡並不可怕，因爲痛苦隨死亡消逝，可怕的是生命竟然還存在，生命存在正是痛苦的淵藪，生命的可怕是「無限制地發展下去，變得更壞，更壞，比當初想像中最不堪的境界還要不堪。」

五

有人說戀愛是盲目的，借張愛玲的話，男女相悅的情愫有時像：「一隻野獸的黑影，它來過一次就認識路，咻咻地嗅著認著路。」結婚以前對象的挑剔，苛責不容有絲微的瑕疵，有時在局外人看似雞毛蒜皮，卻造成雙方分手，簡直讓人無法理喻。可是結婚以後，有時讓人心碎絕望的地雷，雙方卻「過一天算一天」而不願去點燃。最後僅引「半生緣」兩段文字當爲結論。

「本來，一結婚以後，結婚前的經過也就變成無足重輕了，不管當初是誰追求誰，反正一結婚之後就是誰不講理誰佔上風。」「一個女人一過了三十歲，只要丈夫對她不是絕對虐待，或是完全不予贍養，即使他外面另外弄了個人，既然並不是明目張膽的，也就算是顧面子的了。」

參考資料：

一、林柏燕——細說「半生緣」。
二、水　晶——讀張愛玲新著有感。
三、水　晶——讀張著「怨女」偶拾。

淺談張愛玲「半生緣」的幽默情節

一

社會日趨進步繁榮，人際關係也日趨緊密，尤其台灣地狹人稠，無形帶給一般人許多壓力，任何奮鬥成就都必須全力以赴，在彼此競爭過程中，難免產生磨擦、齟齬。力爭上游固然是決定成敗的關鍵，但是如果僅爲個人的成就，而竟然不擇手段，有時更殘忍犧牲對方，落井下石，無非爲滿足個人私慾。於是社會充滿暴戾，傷害訴訟的案件讓人怵目驚心。力爭上游去達成個人的成就應是生存的一種尊嚴，本來亦無可厚非，但是力爭上游的方法卻值得深思商榷。試想如果個人既能達成個人的成就，而競爭的對手又不會受到傷害，彼此能夠欣賞對方，進而攜手磋商交換意見，自然可以化暴戾爲祥和，幽默應是最佳的潤滑劑。

二

我們也許囿制於傳統習俗，生活方式往往流於古板嚴肅，竟然被外人嗤笑爲最不懂得幽默的民族。其實幽默絕對不僅僅是說說笑話而已。有些笑話當然是屬於幽默的範疇，但無可否認的，有些笑語不僅不是幽默，而僅是下流鄙俗。要替幽默定義相當困難，且又多餘。可是毫無疑問，幽默必定是一種智慧，而且這種智慧，絕對不是雕蟲小技的逞強，必定是一種高度的啓發，讓彼此靈犀溝通而綻放會心的微笑。記不清那一位作家曾經說過這麼一句話：「沒有一個好的作家，是不懂得幽默的。」而目前坊間的作家，號稱幽默的，卻往往僅是嬉皮笑臉，打情罵俏，有時扮演小丑角色，將自己批評得體無完膚，鞭撻蹂躪，有時卻又道貌岸然，披穿聖人的道袍，以傳教口吻去普渡眾生，兩都是失「真」的人物，類似這種人物是無法感動讀者的。林語堂、吳稚暉是幽默的作家，吳魯芹、梁實秋也是幽默的作家，可是他們畢竟已是離開世間的人物。幽默的聲音似乎有越來愈淡的氣氛，我們實不願幽默變成絕響。

三

張愛玲被譽爲我國自有李清照以來，最優秀的一位女作家，她的「秧歌」、「怨女」和短篇小說集（原名「傳奇」）蜚譽中外，自有她的文學史地位。有人說她對文字的運用特殊敏感，該省則省，該繁則繁。最難能可貴的，張愛玲即使寫作類似「半生緣」這類通俗的小說，也不流於「言情」的俗套窠臼。她絕對不使用空洞抽象不切合實際的名詞來刻劃描繪人生，她善於將空洞抽象不切合實際的名詞，神思獨運，將其咀嚼反芻而消化，而不露出斧痕，而讓人物栩栩如生，跳躍在讀者視界的舞台。張愛玲在「半生緣」就曾說：「女人有時候冷靜起來，簡直是沒有人性的。」幽默既然是一種智慧的高度啓發，冷靜必定是其要素。她一向採取由絢麗轉換平淡的技巧，頗少鋪張揚厲的風格。她的收尾往往令人匪夷所思，八萬字的中篇「怨女」是如此，三十萬字的長篇「半生緣」亦是如此。而張愛玲本身又深受「紅樓夢」、「金瓶梅」等章回體小說的薰陶，幾乎她的小說全部採用「全知觀點」的描寫，而捨棄那種「作者自始至終，隱藏在書後，從未露面。」的「敘述者的觀點」。張愛玲又是熟讀西洋小說，尤其像亨利、詹姆斯（Henry James）的心理刻劃，長期浸淫的結果，她的小說的人物絕沒有刻板扁平的泥塑木雕偶像，而是附加人生的血液，讓讀者感覺她的小說人物是「真」的。

四

雖然有人說她的小說唯一的遺憾是精深，而不夠博大。所謂「精深」應是指她的小說題材往往沒有正常美麗的愛情故事，往往是怨偶，往往是女性對命運撥弄，破碎感情的唏噓。這種題材的限制，照說不能有幽默的抒寫，可是張愛玲卻能雪泥鴻爪不落痕跡地跳脫，而滲雜喜劇趣味，使她在滿篇綿綿不盡的喟歎畫面中，卻塗上異樣的色彩。最後僅引「半生緣」一段文字以饗讀者。

「世鈞替叔惠餞行，是在一個出名的老正興館，後來聽見別的同事說：『你們不會點菜，最出色的兩樣菜都沒有吃到。』叔惠鬧著要再去一趟，曼楨道：『那麼這次你請客』叔惠道：『怎麼要我請？這次輪到你替我餞行了。』兩人推來推去，一直相持不下。到付賬的時候叔惠說沒帶錢。曼楨道：『那麼我替你墊一墊，待會兒要還我的。』叔惠始終不肯鬆這句口。吃完了走出來，叔惠向曼楨鞠躬笑道：『謝謝，謝謝。』曼楨也向他鞠躬笑道：『謝謝，謝謝。』世鈞在旁邊，笑不可仰。」

從「戲劇原理」看姚一葦教授的讀書態度

猶記得十幾年前，曾在停刊有相當時間的「書評書目」雜誌提及文壇有關戲劇的著作奇缺，一般人又往往被電影所吸引，往往忽略舞台劇。短文最後虔誠寄語對戲劇有見識有研究的姚一葦教授，能夠寫出更多有關戲劇的著作，如「戲劇論」、「中國戲劇史」等專書，打破文壇戲劇沉寂的僵局。

讓人望眼欲穿，姚教授的「戲劇原理」終於在讀者千呼萬喚的企盼裏誕生。出身銀行系的姚教授屢次提及一九五八年秋天，時任國立台灣藝專校長的張隆延獨具慧眼，讓他擔任該校編導專修科及影劇科「戲劇原理」的課程。以前他僅將戲劇當爲一種娛樂，一種嗜好，完全是無目的態度。而他與張校長兩人無一面之緣，彼此名字都沒有聽過，僅憑別人說他懂得戲劇，竟跟他談論藝術的種種問題，邀請他作戲劇專題演講，然後開始講授戲劇課程的生涯。從此他拋開一切生活的困擾，將全副心力投注在藝術的研究，有目的的研究戲劇，更由閱讀戲劇而走向戲劇創作的道路。這種因緣際會，讓姚教授將「凡張隆延先生曾加諸於我的，我一定要加諸於我的後輩」，當他終身立命處世的信條。

姚教授謙稱自己「資質魯頓，復拙口才」，講授課程必須親自撰寫講稿，反覆準備。而「戲劇原理」的講稿，後又在中國文化大學戲劇系及國立藝術學院戲劇系講授多年。爲建立自己的一套系統，講稿一再修訂補充，而他又年屆七十，退休後將不可能再講授課程。手邊存有講稿七、八種，有些他認爲不夠完備，有些他認爲思有未周，即使任其自生自滅亦不足惜。唯獨「戲劇原理」這部講稿，對他特有親切的情份，讓他始終耿耿而無法釋懷。而在講授多年，難免一再補充資料，講稿夾進各式各樣紙片，除他個人，別人恐無法辨認，更不必說要整理付梓出版。而姚教授一向又喜歡思索和研究新的東西，不喜歡主動去接觸自己已經熟悉的事物。而且他一向又沒有抄稿的習慣，寫畢就是，從來不曾謄錄，因爲他認爲抄稿可能比寫稿還要困難。而目前他又全心全力撰寫構思經年的鉅著「美感經驗論」，實在無法分身再去料理「戲劇原理」講稿的工作。他「躊躇再三，無計可施」，最後決定自己口述，別人記錄整理。而有能力又願意做這件吃力的工作，實在少有且不易覓及。最後終於讓他找到曾在中國文化大學戲劇系畢業，後又考入國立藝術學院戲劇研究所，聽過這部「戲劇原理」課程，而且從事多年戲劇工作，對戲劇又近狂熱，更擅長中文電腦輸入的王友輝擔任這工作。講授課程前後約六週，每週三次，每次自上午九時至十一時半，由姚教授口述，王友輝一面錄音一面筆記，然後再輸入電腦，而再由姚教授親自修訂。前後講述「戲劇原理」的導論及戲劇本質論十八次，再加入前已發表的戲劇形式論（原名「戲劇的時空觀」），至此全書才大功告成。

有關「美感經驗論」的寫作，更讓人欽佩姚教授治學的虔誠與嚴謹。他從一九六六年開始擔任美學課程，當時撰寫的講稿分爲上下兩篇，「上篇討論美感經驗，下篇探究美學範疇」。後來他因受講課時數的限制，常常無法將預定下篇的進度授畢，爲彌補課程不足的缺憾，於是他才有意寫成「美的範疇論」這部專著。姚教授研究美學的目的，秉持著「增益吾人對藝術的了解與創造，而不願只作觀念的演繹或思辨的遊戲」的原則，他希望寫作的虔誠與傻勁能夠獲得世人的諒解。在他寫作「美的範疇論」十年期間，因爲兼任行政正作（系主任、教務長）的瑣碎雜務日繁劇增，往往無法讓他專心從事寫作，他僅能利用個人零星時日，時寫時輟，實在沒有讓他有選擇環境寫作的機會。無論環境如何喧嘩，如何吵雜，他都能照寫不誤，甚至養成在公共汽車撰寫腹稿的習慣。「美的範疇論」於一九七八年付梓，姚教授在該書第二章「論秀美」的最後一條註文曾有如此的說明：「此一觀念將詳見本人另一著作『美感經驗論』，此間無法討論。復按此書初稿雖在中國文化學院藝術研究所講授過，惟尙在修訂之中，何日出版，猶有待也。」事隔十三、四年，「戲劇原理」問世，姚教授在自序裏又特別提及他此刻正在撰寫「美感經驗論」，而該書「論知覺」一章只完成一半，預計還需要四五年時間全書才能完成。從如此漫長艱辛的寫作過程，他的虔誠與嚴謹，不難窺知一二。另外從他一條一條註文裏，時而說「本人不諳西班牙文，茲將原文錄後」，時而說「鄙人深恐拙譯不能傳達，茲將英譯錄後」等，更不難知悉他如何努力去除虛矯狂妄的惡習。

拋開姚教授的專著「藝術的奧祕」、「美的範疇論」和無數論文豐碩的成績不計，他的讀書、治學、創作的態度就夠贏得晚學後輩的尊敬。他說：「讀書要讀到出入古今，無罣無礙。治學要自出機杼，獨立門戶。創作要走出自己的窠臼，展現一個全新的世界。」因爲銀行系畢業，理所當然在銀行工作，照說當時有那種學位本就不多，應該有相當多的陞遷機會，但是因爲不會應酬逢迎的個性，職位別人步步高升，自己卻依然故我。就如此這般度過十幾年，他純粹爲「讀書而讀書，爲發洩而讀書，爲娛樂而讀書」，這種永無止境及無目的的讀書，卻奠定他日後治學的深厚基礎。如果爲考試而讀書，或是爲學位而讀書，必定有時間的限制。雖然姚教授謙稱自己「博雜或有餘，精約則不足」，其實這正是他超過別人，而別人又無法企及的高明地方。更難能可貴的數十寒暑的筆耕，他從來不寫「尖酸刻薄、嘻笑怒罵」的文字，他只寫正面又有建設性的東西，絕不浪費筆墨在負面又具破壞性的東西。再加上他一向「只問自己如何如何，不問別人如何如何。只要求自己，不要求別人」的態度，造成他的專著論文都是自己專心摸索，結論都有自己的看法和體驗，絕不羼雜一絲虛假。姚教授有今日的學術地位，是他日積月累的歲月，一點一滴的堆砌，絕無任何僥倖偶得的。

壯志未酬身先死

——談殷海光寫作『中國近代思想史』的幾個問題

一九六五年，殷海光完成他的「中國文化的展望」後，雖然贏得相當程度的讚譽，獲致學術界的肯定。可是殷氏本人卻對「中國文化的展望」論列的問題，覺得深度不夠，只能算是開風氣的作品。他並坦陳「中國文化的展望」僅僅文筆鋒利，思想快捷，談到內容距離成熟還相當遙遠。他有意著手寫作「中國近代思想史」的動機萌芽肇基於此。其次，他對類似「中國近代思想史」的相關著作顯然不夠滿意。就以郭湛波的「近五十年中國思想史」來說，殷海光就相當不客氣批評郭氏的學問根底太淺，並且調侃郭氏「編」的勉強可當目錄，論列的範圍亦顯然過於狹隘。對於寫作「中國近代思想史」，殷氏始終耿耿於懷，頗有捨我其誰的浩歎。要寫出體大思精的「中國近代思想史」的人才並不是沒有。他認爲外國人的優點是可以將文據層面弄得相當「細緻」，可是卻無法進一步深入精神文化的層次，畢竟是「隔」一層，如霧裏看花。而一般中國人的毛病，往往又被文化所束縛，拘泥於「種族中心主義」無法擴展寫作的視野。受囿制最深的莫過於無法擺脫傳統的考據方法，而運用行爲科學來另闢新徑。

殷海光計劃寫作「中國近代思想史」便是採用行爲科學的方法。他也相信要了解中國近百年來思想的變動，必須要運用現代西方的科學知識及方法。而殷氏又自剖他的讀書方式長期受到羅素及邏輯經驗論的影響，往往偏重於通則性質的書籍。通則性質的書籍充滿原理、定律、共相函數、演繹、歸納、通則，而殊少有殊相、奇異性、獨特性。前者當是治思想史的一把利刃。其次殷海光要突出他寫作「中國近代思想史」的純潔性和獨特性，他的寫作方式，是採取重點式的，他絕不採取若干西方學者那種地毯式的蒐集資料。而從清末以來不少知名人物如胡適等人的著作，始終停留在歷史的層次，而沒有深入學術的堂奧，這是癥結所在。殷海光一向崇奉亞里斯多德的「是什麼就說什麼」爲圭臬。他認爲處理類似思想史這種人文現象，往往無法達到「把不是什麼說成是什麼，或是把什麼說成不是什麼，便是假的。而是把什麼說成是什麼，把不是什麼說成不是什麼，便是真的。」的原則。因爲距離時代愈近，人物事件愈無法與當前的情境，完全剖析涇渭分明，有些禁忌要去突破是要有相當道德的勇氣，類似殷海光這種悲劇性的人物，有時他們秉持的理想，必趨幻滅。

「中國文化的展望」出版沒有多少時間就被查禁，查禁的理由是：「該書內容反對傳統文化精神，破壞倫常觀念，足以混淆視聽，影響民心士氣。」（查禁時間爲一九六六年、七月十八日）時隔二十餘年，該書又重新排版付梓，有心的讀書詳細苦談，不難發覺到該書有沒有真的反對傳統文化？有沒有真的破壞倫常觀念？殷海光既覺得「中國文化的展望」論列的問題深度不夠，他便積極將已經論到過的問題，或是尚未論列過而新發掘的問題，一一重新思考，而寫出「中國近代思想史」，目的便是要讓今後的中國人能夠明確了解近代的中國，更要幫助外國人了解中國。如果不是天嫉英才不假以年，他還計劃撰寫「中國與世界的前途」一書。他始終相信對近代中國貢獻若干可信的知識，進而促成對近代中國的了解是知識份子責無旁貸的工作。雖然殷海光在邏輯經驗論有相當的成就，但是他卻堅定個人在研究「中國近代思想史」方面的能力與潛力有過之而無不及。而又居於種種原因與理由，這種工作並不是大多數獻身於中國研究的學者能夠輕易取代的。殷海光更一再強調近半個世紀以來，幾件驚天動地的中國問題，關心的知識份子必須從幾個重要層面，力求給予客觀的了解，如此才能留給中外學者一個真相。

「中國近代思想史」是哈佛大學聘請殷海光研究的主題。他被台大不予續聘後，工作始終沒有著落，這筆研究費正解決他的晚年生活費用。他曾經對韋政通說：「我對這工作，一開始就厭倦。說真的，這是爲解決生物邏輯的問題。」我們推測殷氏會如此說出這種無可奈何，又與他的性格極端背道而馳的話，可能是一時對個人的健康和處境牢騷。因爲殷氏一再說他唯一努力工作就是完成「中國近代思想史」。韋政通認爲用英文寫作「中國近代思想史」的題目涉及的範圍過分龐大，需要的資料又相當的驚人。要從事這個工作，別的條件不提，必須要有無窮的體力和毅力。試想以殷海光當時的心境和帶病軀體，又怎能忍受這種無情又沉重的煎熬呢？

殷海光去世前，或許真的從未寫過任何有關「中國近代思想史」系統性的文稿，或許殷氏留下來的若干筆記，也全部都是他從英文原著摘錄下來的零星札記，沒有自己的見解。但是從殷海光的書信集（盧蒼主編，桂冠圖書公司發行），我們卻不難明白殷海光對這一件工作的專注與執著。他說：「所要的資料，晚清大體已備，五四時代的也有若干。」他又說：「研究中國近代及現代思想史，而不悉中國大地二十年來的思想波瀾，不止是嚴重的缺陷，簡直是笑話。」雖然經濟是如此拮据，情況又是如此艱困，殷海光仍舊矻矻孜孜請求親友從海外替他購買相關書籍。這樣看來，殷海光到底有沒有完成「中國近代思想史」的工作，對他一生的論定，恐怕又是另一個問題了。

後記：

殷海光完成「中國文化的展望」正準備出版，曾神采飛揚說：「再過二十年，依然沒有人能寫得出這樣的書。」出人意料的，不到一年的工夫，他就對該書表示不滿，認爲應再重寫。根據資料顯示，殷海光的「中國近代思想史」包括四個部分：一、科學主義和自由主義二、新傳統主義（即新儒家）三、社會主義和共產主義四、孫中山先生的三民主義。

「中國文化的展望」主題在討論中國近百餘年的社會變遷對西方文化衝突的反應。而在同樣的社會文化背景，「中國近代思想史」將要專門研討中國近百餘年來的思想變遷。有人就認爲在檢討中國在傳統文化轉變到近代文化過程的著作，殷海光的「中國文化的展望」是一部上乘的作品，並且肯定有見解精闢，分析徹底等優點。

而有人卻認爲殷海光的「中國文化的展望」是一個外國無知的人盲目胡說，不敢相信殷海光對於過去歷史和文化瞭解竟然如此膚淺。甚者有人不客氣的指責殷海光雖對中國的思想文化有濃厚的興趣，也有相當的見解，可是他的論點卻缺乏史實的依據。批評殷海光對新傳統主義（即新儒家）顯然缺少同情的了解，他似乎沒有耐心細讀唐君毅，牟宗三的著作，而輕率批評唐、牟的成就僅爲道德理想，而非知識。甚者指責唐、牟的學術資本、思想訓練，和個人才力，顯然不足完成他們所要達到的目標和規範。類似這種說法，實在有待保留和商榷。因爲殷海光似乎與五四人物有一樣的通病，他們始終沒有獨創出個人的思想體系，他們卻一廂情願從西方學術的派別抉取個人比較喜愛的成分，稍加揉合而當爲應付他們本身面對的問題，如此當然無法避免以偏蓋全的缺失。

雖然如此，我們對殷海光扮演知識分子對知識追求的熾熱渴望仍然佩服五體投地。依他清苦的待遇，個人有關當代邏輯，分析哲學、自由、民主，社會學理論的藏書，竟然比台灣任何公私立圖書館都要完備。二十多年，他寫過八十多萬字，成就已相當不易，殷海光卻自敘說：「那些東西如果說有什麼價值的話，那末只能表示我一點追求真理的真誠。」尤其難能可貴的，殷海光認爲一個真正的知識分子，必要有「隔離的智慧」和「超越的心靈」。生命要想更奮進，思想要想更開拓，必須時時與社會保持相當的距離，而心靈對當前的環境更要超越的爬升。

勸學篇

——讀「風簷展書讀」的題外話

在「喫馬鈴薯的日子」以前，劉紹銘到底有沒有出版什麼作品，因資料不足，不知其詳，但從「喫馬鈴薯的日子」（一九七〇）到「風簷展書讀」（一九八〇）的整整十年中，他的「靈台書簡」、「二殘遊記」、「二殘雜記」、「二殘遊記二集」、「二殘遊記三集」、「傳香火」、「小說與戲劇」、「涕泣零落的現代中國文學」、「上帝、母親、愛人」等先後問世。另外又譯有「夥計」、「魔桶」（瑪拉末的作品）、「何索」（貝羅的作品——與顏元叔合譯）。此外還編有「本地作家小說選集」（收有陳若曦、王禎和、陳映真、七等生、施叔青、黃春明、楊青矗和銀正雄的作品。）並與馬幼垣合編「中國傳統短篇小說選集」中文本厚達八百六十頁，（除收集的作品外，有詳細的序、編譯凡例、導論、書目、作家提要、及故事年表等），他又以「曹禺戲劇研究」的論文獲得印弟安那大學的博士學位。除那些以文藝愛情小說（如瓊瑤、玄小佛）武俠小說（如金庸、古龍）成名的「作家」外，就作品的數量而言，他恐怕要榮登狀元寶座。如果以「每年連寫一篇作品都無法辦到」的吳魯芹的標準尺度衡量，封他爲「多產作家」應該無人異議。

但是劉紹銘的作品既沒有瓊瑤、玄小佛、金庸、古龍般的暢銷，也沒有像何索、姑隱的「譁眾取寵」，他的本行是文學批評，他的論文「一莖草能負載多少真理？」原文是（How much Truth Can a Blade of Grass Carry?）「現代中國小說之時間與現實觀念」（原文是 The concepts of Time and Reality in modern Fiction）論點的剴切、涉獵的淵博、態度的虔誠，學術界有口皆碑。再翻閱他對王文興的「家變」、白先勇的「台北人」、張系國的「棋王」、「昨日之怒」，和陳映真、七等生等人的小說所付出的時間與精力，在「愛之深、責之切」的心情下，殷切期望他記得他自己曾經說過：「一個人只有在絕境時『才會鋌而走險。』做人不要帶勢利眼，做學問不要趨炎附勢。」的痛心疾首的話。

從「喫馬鈴薯的日子」到「風簷展書讀」，除前序後記和附錄外，不外論文、翻譯、書話、雜文和書簡等項，而書簡更琳琅滿目，有胡拉島、馬料水、牛馬水、水月樓等，美不勝收。可是他的論文，像「十年來台灣小說（一九六五—一九七五）——兼論王文興的『家變』」「陳若曦的故事」等，如果換個勢利的趨炎附勢的人恐怕也無法寫出。「二殘遊記」（前後三集）可說是劉紹銘的留美日記，或是旅美雜記，張系國戲評爲「喫馬鈴薯的日子」，卻是子虛省烏有市（見「二殘遊記」的前言）的故事，前後長達廿幾章回的「自傳不是自傳、日記不是日記」的文體，劉紹銘最後說：「看官，『二殘遊記』到此告一段落。」沒錯，「二殘遊記」確實告一段落，可是他的專著論文，尤其是對現代中國的小說，卻遙遙無期，讓讀者望眼欲穿，這是在「愛之深、責之切」的心情下，殷切期望他不要像坊間扛著「博士」招牌的人，整日無所用心。沾沾自喜的編叢書、搞序跋，不厭其煩東拉西扯寫寫美其名的「雜文」，這種「博士」或許不是自甘做賤，而有他們情有可原的不得已苦衷（如家有嗷嗷待哺的妻子等）。對這種「博士」，不必浪費我們的愛心與關注。可是劉紹銘的遭遇、劉紹銘的力爭上游卻與眾不同。他原籍廣東惠陽，一九三四年出生於香港，早歲失怙，沒有接受中等教育，一九五六年以自修生資格通過考試來台就讀台大外文系。四年後返回香港，以寫作維生。一九六一年承蒙陳華燦的資助，繼續前往西雅圖華盛頓大學深造。曾經執教於夏威夷大學、香港中文大學崇基學院、星加坡大學、威斯康辛大學等。以他這種背景，我們實在不忍心看他再重蹈那種只是扛著「博士」招牌，編編叢書、搞搞序跋、寫寫雜文的覆轍，更不忍心看他再捨棄「專精」的學術路線。

荀子「勸學篇」有云：「不積蹞步，無以至千里。不積小流，無以成江海。」所謂「羅馬不是一天造成的」，治學沒有捷徑，既要廣博，又要專精。廣博是初步的基石，專精才是學問的成熟。劉紹銘的師長像夏濟安、陳世襄，他的台大前後期朋友像白先勇、葉維廉、陳若曦。不管評論或是創作都有被學術界肯定的地位。從劉紹銘的著作，或是編譯的作品。他對中外古今作品涉獵的「廣博」是顯而易見，無庸再多費口舌說明。他將在大陸神州所見所聞所感的歷史性證據，完成「因甲蟲花紋引起的聯想」、「疲憊的靈魂——讀『傷痕文學』隨想」等收集在「風簷展書讀」一系列「三月追懷」的作品中。據說「因甲蟲花紋引起的聯想」等篇，已經被中共的「作家協會」單位複印出來，當爲「內部參考資料」，當爲「反面教材」。劉紹銘在「風簷展書讀」的代序（「澆心中塊壘」）中引證，要「扮演的唯一角色，就是做個證人。」的諾言，確確實實沒有落空。可是在「愛之深、責之切」的同樣心情，我們仍舊殷切期望劉紹銘提出的「『旋風』英譯，因此不見其利，先見其害。」（「告姜貴在天之靈」）、「陳映真的小說，寫實的構架常帶浪漫的情調」（「更上一層樓」）、「傷痕文學」很有獨特性（**Particularities**），可惜少見普遍性（Universalities）」（疲憊的靈魂——讀『傷痕文學』隨想）等吉光片羽的蜻蜓點水，不再停留於淺嚐即止的評介，而早日有深厚踏實的論文專著呈現在讀者的面前。

後記：黃維樑的「劉紹銘敢講真話」提及劉紹銘十多年前寫過一本叫「與良心對話」的書。坊間未見，可能在香港出版。

又：「何索」（**Saul Bellow** 著）、「魔桶」（另名「夢中情人」）、「夥計」（**Bernard Malamud** 著）。劉紹銘尙負責「中國現代小說史」（夏志清著）的編譯。該書譯者尙有思果、董保中、李歐梵、水晶等人。

大器晚成作家的心路旅程
——以周腓力為例

截至目前，周腓力先後出版三本書，分別爲小說——「洋飯二吃」，雜文——「幽自己一默」、「萬事莫如睡覺急」。雖說他將近六十歲，如此的量似嫌單薄，可是他是從四十八歲才開始寫小說，曾前後榮獲幾次文藝大獎，作品贏得批評家的肯定，且廣受大眾讀者的喜愛，幾篇小說引起文壇注目、討論，激起相當程度的漣漪。當然如果以如此單薄作品就輕易判定他的成就，難免會失諸武斷，這不是我們願意見到的，我們願意從他的作品呈現幽默的層面，和他的寫作態度，拉拉雜雜寫點大器晚成作家的心路旅程，看看他是如何走出這條路來的。

有人說，因爲深受舊禮教的薰陶，我們是屬於嚴肅的民族，甚至說我們是最缺乏幽默感的民族。如果偶而顯現幽默，便被目爲油腔滑調、輕佻儇獪，結果在幽默的園地我們可說是最貧瘠的。前輩作家林語堂、梁實秋、吳魯芹等人的地位，自然沒有懷疑的聲音，可是目前一窩風的所謂幽默，誰都無法否認，不少都是披著幽默的糖衣，販賣低級趣味，無非是嘩眾取寵、沽名釣譽，偶而他們或許暴得虛名厚利，可是歷史畢竟是無情的，隨時有如東坡居士名言：「大江東去，浪淘盡。」

幽默比較淺顯的解釋就是好笑，比較學術的界定是「幽默是一組成熟的心理和生理邏輯技術，它幫人度過危機、混亂、適應巨變。」馬克吐溫曾說：「人類只有一種有效的武器，就是『笑』。」而諧謔式的幽默以批評、嘲諷爲目的，避免掉入尖銳刻薄的窠臼，顯然亦是相當高超的藝術。周腓力自剖高中時代就喜歡幽默文學。而因爲我們傳統教育是以培養嚴肅的下一代爲宗旨，文學偏重正經的一面而忽略輕鬆的另一面。像「文章是自己的好，太太是人家的好。」像「演講要像女人的裙子一樣，越短越好。」等本是睿智雋永的佳句，往往都被視爲大逆不道。其實在周腓力的心裏，幽默並非僅是嘻笑怒罵，幽默同樣可以寫出厚重的悲劇效果。有時負面的幽默反而比正面的指責更具備強烈的效果。千萬不能將幽默看成僅是玩笑，其實幽默也是一種相當具有效果的表達工具。如果表達幽默沒有使用想像力，便難免有空洞膚淺的流弊。龍應台就曾說：「輕鬆幽默的喜劇作品雖然可以很成功的諷刺現實生活，但是要挖掘，探討更基本的生命意義，就往往不夠深沈，不夠嚴肅。」龍女士這一段話係針對周腓力的短篇小說——「一周大事」獲得時報小說首獎而發。雖然喜劇作品有這種先天的限制，可是龍女士卻認爲如果作者採取沈重（深沈嚴肅）的筆調來講一個沉重（深沈嚴肅）

的故事，如此讀者剛接觸作品就有心理準備，自然無法產生震驚的效果，那麼這種作品顯然是失敗的。而周腓力的短篇小說——「先婚後友」被選爲年度小說，黃凡曾經提出個人的看法，這種看法雖然針對「先婚後友」而發，其實當爲論斷周腓力短篇小說的整個構成，亦不會太過離譜。黃凡認爲周腓力的小說充滿「嘉年華」式嘻笑怒罵的喜感。採用鬧劇式的寫實手法，無情且無奈撕開「美國式生活」包裝精美的外衣。又能避開正面的指責，另用滑稽唐突的單調誇大人生的荒謬無趣，使讀者在笑聲的背後不知不覺地感染一種無奈的蒼涼。

周腓力認爲寫作只是他的「家庭副業」，他從四十八歲開始寫小說，並沒有懷著什麼偉大的文學理想，自然也就沒有企圖在文壇發展的野心。他的寫作動機無非是僅僅對個人過去回頭做一番觀照，這種強烈的意念澎湃讓他不得不提筆。而一般文人的筆要放下來很容易，要重拾起來卻非常困難，周腓力認爲即使一天只能寫三五個或是十多個字，他也要寫。他常常鞭策自己每天要寫一百或二百個字。他說有時創作衝動來臨，讓人無法抗拒，「一會兒起，一會兒坐，一會兒停，一會兒寫」往往一天斷斷續續也能寫出大約三四百個字來。因爲他的小說僅僅是對個人過去的回顧，讓讀者感覺他的小說很有真實的韻味，而且沒有破綻。也就因爲這種信念，周腓力認爲閱讀對創作並不重要，因爲那僅是別人閱歷的第二手資料，他認爲直接體驗生活，緊握鮮活的人生第一手資料，才是最重要的。唯有寫小說才能將人生安排得合情合理，而真實的人生卻往往不合人情又不合常理，於是小說家不得不把真實的人生，運用個人的想像，加以重組、剪接、刪改，如此將較有頭緒條理又具意義目的。換句話說，小說裏呈現的人生是一個經過加工改造的人生。

周腓力認爲創作是一件快樂的事情，他更慶幸自己在晚年能找到這種快樂。因爲他愛寫什麼就寫什麼，愛怎麼寫就怎麼寫。因爲只有快樂的人，才能將人生安排獨具特殊的節奏。小說家喜歡尋找或呈現出人生裏面那些溫馨、親切又有趣的片斷，而周腓力又自認作品就是作者的「夫子自道」，他的小說也僅僅是他個人一生的縮影。他寫作喜歡採取直接了當的語氣，希望以較少的文字提供較多的訊息，希望使用最少的字數卻能帶給讀者最深刻的印象，於是他的作品裏就很少出現類似「淡淡的雲，微微的風」這種感性的字眼。有時除非有特殊用意，否則甚至對小說裏角色的面貌、衣著，他亦不刻意描寫。這種寫作方式固然能達到沒有贅枝蕪葉的境地，可是有時卻使作品的詩意喪失殆盡，於是周腓力寫作小說，往往習慣將一個情節從頭到尾依次處理，等到一個情節交待清楚以後再著手寫第二個情節。利用輕描淡寫，旁敲側引的方式將故事導入主題。他曾經受人之託，遠從國外回來，將自己的小說改編爲劇本，可是他卻認爲越是好的小說家，他編的劇本就越壞，雖似戲言，卻也帶有幾分真實感，因爲白先勇、王禎和等小說家都是活生生的例子。周腓力提出個人編寫劇本的態度是這樣的：不可將所有情節全部一次交待清楚，一定要將情節「碎屍數段」，然後讓情節彼此間能交錯陳述。整個劇情要圍繞在一條主線進行，就像電視連續劇要求一個故事主線來貫穿全劇一樣。

海明威曾說：「要成爲一個作家，最重要的是培養同情心和幽默感。」更有人強調：「作家最迷人的是他的敘述風格。」周腓力從來不因爲他的作品獲獎、暢銷而自滿。雖然有人認爲他的作品似乎是沒有經過大腦就寫出來，雖然有人認爲寫作類似他的這種作品似乎也是很容易的工作。可是周腓力卻說他每寫幾個字就要停下來苦思一陣子，才能接下去再寫幾個字，他不相信僅憑一時的靈感，就能接連出書而且贏得讚譽。因爲他的腦海認爲出書，尤其是作者要出第一本書，就有如母親的第一胎相似，常常是難產。不少的作家終其一生，甚至都沒有找到一家出版社願意爲他們出書，就像絕大多數的畫家，有時一生從沒有賣出一幅自己的作品。周腓力就目睹美國的文壇，接二連三有寫完一本書即飲恨而終的作家。他認爲真正的藝術品必須植根於豐贍的生活閱歷，他更強調作家喫的苦愈多，受的罪愈大，他的作品就愈好。訴苦的衝動帶動創作。所謂創作靈感，周腓力認爲僅是「苦」的藝術化身而已。

得獎的作家不見得就是好的作家。周腓力四年寫出九篇短篇小說和近三十篇的雜文後，他卻不像許多得獎暢銷就拼命日以繼夜寫作賺取暴利的作家，他反而銷聲匿跡，難見他的隻言片字。可是我們卻相信他絕非輟筆，因爲他有他的年度寫作計劃的內容與進度。因爲他也曾經說過：「寫文章如開店，最重要的是維持信譽。」

大器晚成的作家

——周腓力寫作二三事

周腓力的名片頭銜是「出賣小說的人」，他說那種名片已經送出四千多張。依常理推斷，他既是以小說成名，又是以小說崛起文壇的作家，作品理所當然以小說爲主，事實卻大異其趣。他的小說僅僅有收在「洋飯二吃」裏寥寥幾篇，而他的散文卻先後結集爲「幽自己一默」、「萬事莫如睡覺急」、「離婚周年慶」和最近的「婚姻考驗青年」等，粗略估計應該超過百篇。以一向擅長幽默的作家而論，這種多寡懸殊的數目，顯然亦是讓人感到相當可笑的怪事。

周腓力據說在任何情況他都能寫稿，學習任何東西他都有過人的天分。他自剖每天只需要一枝筆，一瓶修正液、一疊稿紙，和一本國語辭典，他就可以創作。而且他說只要能創作，他就會永遠快樂。如果再依常理推斷，他應該從小就擁有出眾的寫作才華。而事實卻是從四十八歲他才開始寫小說。更讓人費解，高中時代，他的數理成績往往超過國文和英文，國文和英文成績一向平平乏善可陳，而且作文等第又常常在「乙」和「丙」間徘徊擺盪。父母親友師長也一致鼓勵他日後能往理工發展，卻萬萬沒有料到他對數理極度的厭惡，而獨排眾議對文學極度的嚮往。最後他考取第一志願台大外文系，數學得滿分，而國文卻僅僅獲得四十幾分。以他今日在文壇擁有的盛譽，顯然讓人不得不詫異這種「大器晚成作家的心路旅程」。

周腓力因為沒有接受父母親友師長衷心至誠的規勸，他們一致認為學文的斷定沒有好的出路，終生必定飽受煎熬折磨。而從周腓力後來所遭遇的波折困頓，亦證明父母親友師長的忠言完全正確。可是從無數的波折，極度的困頓遭遇過程，卻讓周腓力體會出「遭到的屈辱，遇到的挫折，感到的痛苦、憤怒，甚至無奈，最後都會成為他的創作材料的。」類似周腓力這種大器晚成的作家雖非鳳毛麟角，但是翻遍中外文人傳記卻也不多見。周腓力能在文壇擁有今日的地位，便在於四十八歲懂得立定寫作的目標，開始將原本是精神寄託的文學當為安身立命的工作。四十八歲才起步寫作，文筆難免被批評不夠錘鍊，技巧亦難免被批評不夠純熟，但是周腓力強調他所要反映的是真實人生，他所要傳達的是肺腑語言，堅持這種創作原則，前後十年，他的作品贏得讀者廣泛的共鳴，他的作品也獲得文壇讚譽的口碑。

周腓力並沒有因為今日擁有的聲譽地位而遺忘往日的種種顛沛流離，他更透過給他女兒均玲的信，就自己的寫作經驗，提供給有志創作的讀者參考。誰都知道，開始寫作被編者退稿顯然是天經地義的命運。問題是在這條崎嶇又漫長且又辛酸的投稿道路，有誰能夠忍受，又有誰能夠堅持。周腓力期勉被退稿的作者不必氣餒，他要他們想一想，「如果每個人的文章都永遠不登出來，這個世界上還會有成千上萬的作家嗎？」他更以目前文壇炙手可熱的林清玄、張曉風爲例，說明退稿對作者也是一種磨練，一種培植。他說有段時間，林清玄每天都要按時寄出一篇稿子，說來奇怪，每次到月底計算，他收到的退稿剛剛好是三十份。他又說有段時間，張曉風頭一天寄出一篇稿子，第二天必會準時收到退稿。而且他更調侃地說：「這樣一寄一退，就好像脈博一樣的規律。」

周腓力說他的女兒均玲曾經向她的姊姊抱怨說：「真是豈有此理，爸爸寫的任何一篇狗屁文章都登出來，我的文章寫得這麼好，可是一篇也不登出來！」他鼓勵被退稿的作者不必計較得失，不必顧慮成敗繼續投稿，只要能夠以如此的心情不斷鍛鍊，相信寫作內容自然會擴大，寫作技巧自然會增強，有朝一日必定會成爲作家。今日周腓力因爲從事文學創作，對賺錢失去興趣，他的收入顯然是越來越少，可是即使是簞食瓢飲的窮困，他卻仍能不移其志，不改其樂，這完全是文學所賜給他的。他說：「一個人能夠從事他所熱愛的工作，並且從他的工作中又能同時獲得自我滿足和他人肯定，這個人此時不快樂，還更待何時呢？」

周腓力擅長幽默，從林語堂、梁實秋、吳魯芹諸位大師以降，似乎愈來愈不易見，且似乎有絕響的危機。而發行全球的「讀者文摘」卻是一個異數。「讀者文摘」的暢銷事實是婦孺皆喻的，「讀者文摘」的品味亦是老少咸宜的。而「讀者文摘」幾乎期期闢有「開懷篇」、

「世說新語」、「各行各業」、「浮世繪」、「校園逸趣」、「意林」等專欄，這些專欄所佔篇幅比例本來就不低，而且「讀者文摘」幾乎沒有空白地方，因爲那些原本空白地方都被匠心獨運的編輯，利用兩、三則不等的幽默短文塡補，翻遍「讀者文摘」幾乎三五頁就出現這種令人莞爾的玩意。而且幾種專欄或散佈各處的短文更歡迎讀者投稿。而不管是個人有趣的際遇或是不平凡的經歷，不管是讀到或聽到的軼事、笑話，皆歡迎讀者正寫側寫讓大家一齊欣賞。雖不敢說，「讀者文摘」能夠歷久不衰暢銷全是幾種專欄或短文所促成的。但如果說「讀者文摘」能夠持續不斷風靡全球，幾種專欄或短文畢竟佔有相當比例的功勞，恐怕亦非過份誇大其辭。

讀「臺灣作家全集」（短篇小說卷）

——以七等生、陳若曦、張系國為例

有一個家喻戶曉的史實，連橫（雅堂）編纂鉅著「臺灣通史」的動機是他父親諄諄又語重心長的告誡他：「汝爲臺灣人，不可不知臺灣歷史。」如果從另外一個角度來說，我們是臺灣人又怎麼能不知臺灣的文學。而讓人倍感心酸的，在功利經濟掛帥的社會，文學刊物的市場日益狹隘，嚴肅文學作品的銷路日趨凝滯，低級暢銷的東西充斥街井市坊，又有那一個有勇氣又負有時代使命感的出版商願意違逆這種潮流，做那一種既出力不討好的愚蠢工作呢？主持前衛出版社的林文欽偏偏不信邪門，竟然一口氣出版「臺灣作家全集」（短篇小說卷）五十冊，可說是一個異數，姑且不論成績良窳如何，這種能爲人所不敢爲，能爲人所不願爲的傻勁就夠贏得任何人的喝采。

「臺灣作家全集」（短篇小說卷）五十冊，依時代先後次序，分別爲日據時代十冊、戰後第一代十一冊、戰後第二代十五冊、戰後第三代十四冊。全套定價壹萬肆仟元，又不零售，除一般公家圖書館或少數殷商鉅富爲講求門面，一般讀者恐不願亦無力輕易購買。筆者一向喜逛書店又喜購買嚴肅文學作品，也許是書店工讀生一時疏忽，否則不可能讓筆者僅僅挑選心愛的七等生，陳若曦、張系國等三冊，如此恐怕將永遠面對全套的「臺灣作家全集」（短篇小說卷）徒呼負負而興嘆。讓筆者更感意外，等到回家將三冊詳細披閱後，始發現僅僅在首冊「賴和集」和「別冊」有鍾肇政長達四十頁的總序——「血淚的文學、掙扎的文學——七十年台灣文學發展縱橫談」，其餘各冊因出版成本的考量都僅僅列有總序前面四五頁的緒言。筆者又不死心，漏夜又趕回購買七等生、陳若曦、張系國等三冊的書店，花費四五十元麻煩那位滿臉疑惑又不知所以然的工讀生影印總序全文。筆者不厭其煩寫出這段辛苦的經驗，一方面顯示出個人數十寒暑購書旅程這次是個例外，一方面更爲前衛出版社的林文欽爲「臺灣作家全集」（短篇小說卷）所付出的心血表達無限的敬意。雖然筆者與他又素昧平生。

「臺灣作家全集」出版以前並非沒有臺灣文學叢書的問世，犖犖大者，便有「日據下臺灣新文學」（五卷）、「光復前臺灣文學全集」（八卷）、「本省籍作家作品選集」（十卷）和「臺灣省青年文學叢書」（十卷）等四種。（另外就筆者淺知有兩本選集雖非叢書，卻頗具份量又讓眾人稱許的「中國現代文學選集」和「本地作家小說選集」，前者是齊邦媛編纂，後者是劉紹銘負責。）而卻又十分巧合，前二者是戰前的臺灣文學，後二者卻是戰後的臺灣作家作品。前二者沒有標出省籍，後者則明顯列出省籍。而與「臺灣作家全集」比較，前二者與所謂的日據時代，後二者與所謂的戰後第一代、第二代、第三代似又相當吻合。鍾肇政依他相當投入臺灣文學的研究便明白指出，「臺灣作家全集」是前面四種叢書的集大成，同時說明「臺灣作家全集」所收的作品時間貫穿發軔以迄晚近，所選的代表作家，每家一卷，總數多達數十卷，堪稱是自有臺灣新文學以來的創舉。

「臺灣作家全集」（短篇小說卷）雖然是蹣跚蹎踣難產，而波折的過程實讓人唏噓喟嘆。因爲早在一九八四年，鍾肇政便獲呂昱、張恆豪兩位及蘭亭書店陳信元等人襄助，開始著手「臺灣文學全集」的出版工作，並且又推出叢書的首冊——龍瑛宗著的「午前的懸崖」，而且相關的序、年譜、評論及作者照片等皆相當齊全，編排體例可謂相當完備。他們原來計畫，每隔一兩月出版一集，希望以細水長流方式陸續出齊「臺灣文學全集」。豈知人算不如天意，首冊即問世，便遇到出版界連續倒風，株及牽累出版計畫便無疾而終。而後雖意東山再起，卻因財力無著而空留惆悵。一九九三年「臺灣作家全集」（短篇小說卷）初版付梓，時間相距整整十年，試想人生真正能工作耕耘的歲月又有幾個十年。

「臺灣作家全集」（短篇小說卷）的編選工作，日據時代由張恆豪負責，戰後第一代由彭瑞金負責，戰後第二代由林瑞明、陳萬益負責，戰後第三代由施淑、高天生負責。原則皆一人一冊，而日據時代的作家作品因爲篇幅不夠，偶有兩人甚或三人合爲一冊的例外情形。今僅就手邊七等生、陳若曦、張系國等三冊就個人閱讀一、二淺見，寫出以供參考，如果藉此能引發讀者閱讀「臺灣作家全集」(短篇小說卷)的興趣，那豈僅是個人欣慰的美事。七等生、陳若曦、張系國的小說，相信稍爲對臺灣文壇有接觸的讀者都耳熟能詳。七等生曾以短篇小說——「我愛黑眼珠」引起殊多相異的文學評論，他的短篇小說集處女作——「僵局」曾引起相當的爭議，至今仍留給讀者十分深刻的印象。七等生是筆名，他的本名是劉武雄。陳若曦本名陳秀美，曾與台大外文系的級友白先勇、王文興、李歐梵、歐陽子等人創辦「現代文學」。回歸大陸七年，以「尹縣長」短篇小說集最獲讀者青睞。張系國是專攻電腦科學的博士，可是他的短篇小說——「地」、和長篇小說——「棋王」都曾引起文壇相當注目，後來又從事科幻小說的創作，是位難得的奇才。「臺灣作家全集」(短篇小說卷)在鍾肇政的序言後都有編選人所執筆的序言，簡要介紹作家的生平及作品特色。七等生、陳若曦、張系國等三人的序言分別爲(削瘦的靈魂)、(牽懷海峽兩岸)和(天涯漂泊遊子魂)。接著便是小說的正文。正文後都附有研析性質的作家論和作家生平寫作年表、小說評論引得，希望提供讀者參考，前者皆由文學評論專家執筆，有一篇亦有兩篇，屬於七等生、陳若曦、張系國等三人分別爲楊牧的(七等生小說的幻與真)、葉石濤的(從憧憬、幻滅到徬徨——談陳若曦文學的三個階段)、吳達芸的(自主與成全——論陳若曦小說中的女性意識)和楊牧的(張系國的關心和藝術)。而後者的評論引得依發表或出版日期的先後順序排列，屬於陳若曦、張系國的皆以一九九一年十二月卅一日以前國內發表者爲限，海外出版者列爲附錄。屬於七等生的以一九九二年十二月卅一日以前國內發表者爲限。而屬於陳若曦、張系國的由方美芬、許素蘭負責編選，且有陳若曦本人的增訂。屬於七等生的除方美芬、許素蘭兩人，尙有張恆豪參與編選的工作。至於作家生平寫作年表，屬於陳若曦的由洪米貞編述、方美芬增訂。屬於張系國的由方美芬負責。而屬於七等生的由他本人自撰，而由張恆豪增補。筆者再度不厭其煩將「臺灣作家全集」（短篇小說卷）裏相關的跋、作品評論、作家生平寫作年表及評論引得等粗略勾勒出來，一方面也許或多或少對有意研讀「臺灣作家全集」（短篇小說卷）略盡棉薄之力，一方面也爲所有參與編選工作，而默默付出心力的人表達衷心敬意，雖然筆者與他們也是素昧平生。

「臺灣作家全集」（短篇小說卷）對文學界造成何種程度的影響自有後代文學史家去論斷，我們無庸妄加置喙，讓我們難以釋懷的憾事便是編選取捨的標準問題。就以七等生、陳若曦、張系國等三人所謂的戰後第二代，列名者共十五家，除他們三人外，其餘十二家依序爲鄭清文、李喬、鍾鐵民、東方白、施明正、季季、陳恆嘉、黃娟、劉大任、施叔青、郭松棻、歐陽子。因爲是以短篇小說的定位爲取捨標準，我們固然無意苛責這些作家以及他們的作品，但是卻也不必鄉愿作風認爲毫無瑕疵。因爲這些作家有少數在短篇小說的成就顯然仍有待評估。如果類似筆者一向對文壇動向還頗爲關切，對某位作家及他的作品都仍舊處在似曾相似的朦朧階段，那麼我們又怎麼忍心去奢求一般讀者的認同呢？其次我們更大惑不解的是有數家因版權問題或其他緣故而不能應邀參加，他們或許有不得已的苦衷，也許有值得體諒的理由，但是所謂戰後第二代，如果將黃春明、陳映真、王禎和、白先勇、王文興、林懷民等人剔除，恐怕不僅僅是美中不足的憾事。信手拈來，黃春明的「鑼」、「莎喲娜啦再見」，陳映真的「將軍族」、「第一件差事」，王禎和的「嫁粧一牛車」、白先勇的「台北人」等短篇小說集，那一本不是已經取得應有的地位，有幾篇亦公認被列為經典。經過二三十年時間的洗禮，這幾位作家和他們的作品成就，我們雖然不敢武斷的說必定超過七等生、陳若曦、張系國等三人，但是說足夠與他們三人抗衡，相信必定會獲得眾多的首肯。最後抄錄葉石濤的「臺灣文學史綱」裏一段文字當為結束，或許這段文字與前面論述並沒有多少牽涉，但對閱讀臺灣作家所寫的短篇小說或許有相當的啓發。他說：「……被現實狀態所捆縛，未能拓展作品的深度和廣度，也忽略藝術性和美學性的探求，使作品有時墮為粗糙的意識形態的發洩。又過份使用方言，雖有效於表現強烈的本土性性格，但方言的過度使用也無可避免地造成事過境遷後，難以瞭解的困難。」

周夢蝶的無字天書及其他

說來實在見笑，個人出身某間頗具盛名大學中文系，卻不懂現代詩。個人嗜書如命，卻將買回不知多少現代名家詩集束諸高閣積滿厚厚塵灰。卻連個人衷心私儀周夢蝶的「孤獨國」、「還魂草」亦不例外。再三四年個人將屆耳順。平生胸無大志，原想渾渾噩噩虛度一生，不知命運弄人，抑是因緣際會，竟然前後兩次出任兩間不大不大的國中、高職主管。曾經出版「現代文學評論」、「古籍校釋、今註今譯評介論集」兩部卑之無甚高論的東西。廿幾年來個人就斷斷續續鈔寫「昭明文選」、「文心雕龍」、「史記」、「荀子」、「淮南子」、「列子」、「六祖壇經」等七部經典的原文及密密麻麻無法確知有多少字數的箋註疏證。而在篇卷原文或箋註疏證旁邊往往又註明鈔寫的年月日。部份歷經廿年歲月，紙張泛黃本是常事，讓人較爲憂心紙質變碎後還能維持多久的生命。「富貴榮華有如夢，孤燈老屋伴殘年。」這種心境就個人來說，顯然不是矯情，抑是謙虛。不管未來能將「昭明文選」等六七部的校釋工作完成多少，實在無關緊要。比較讓個人難以釋懷的心願，曾在酒酣耳熟，半醒半醉在數位摯友前，狂言妄語要在五年的歲月，也就是西元二〇〇五年前完成「昭明文選」前面幾乎佔全書三分之一篇幅的賦，最讓人頭疼卻步的賦，今註今譯或校釋的工作。當今朝野正嘶喊拚政治，抑是拚經濟口號響徹雲霄，個人卻利用夜間工作閒暇零零碎碎，不管深夜抑是凌晨，不管寒流來襲抑是徹夜難眠，個人都端坐那張曾經伴隨四五十年，目前恐怕絕無僅有只夠容膝的短腳書桌，攤開不管是五臣，抑是六臣，抑是李善所注的「昭明文選」，拚命一面逐字逐句細讀，一面抄錄塗抹補罅，做這種與名利絕緣，恐怕只有渾渾噩噩的白痴才可能做的事，個人卻無怨無悔的讓一天一天如此逝去，恐怕只能說是宿命。

老王賣瓜，愈扯愈遠，回歸正題，有關現代詩，有關周夢蝶詩集，想起相當遙遠的點點滴滴往事。如果記憶沒有錯誤，約在廿歲左右慘綠少年，剛從窮鄉僻壤，負笈北部首善都會就讀某所頗負盛名院校。唸中文系，經介紹去旁聽余光中開設的英詩選讀課程，猶記當時採用厚厚兩巨冊的原文詩選，個人英文程度本就膚淺，再加詩歌素養拙劣，今日回溯彼時情境，恐怕只能說不自量力、狂妄無知。多年後，雖亦前後不斷購買余光中的「英詩譯注」、「英美現代詩選」等書細讀，至今腦海仍是一片空白。倒是當時有人攻擊余光中新詩有色情毒素蠱惑人心，群起圍攻撻伐，個人當時曾寫信給余光中表達學生對老師的關切，他隨即回信，字體就是目前報章雜誌常見那種一絲不苟的余光中工整的真跡，可惜那封回信，因離開故鄉遷居外地服務而不幸遺落。個人書房仍儲存不少余光中詩集，幾乎全部東諸高閣，積塵一天一天增厚。余光中事件後，大約十年的歲月，個人因緣際會，竟然膺任某間不大不小學生約兩仟人左右學校的負責人。從余光中事件後到認識瘂弦（王慶麟）純屬意外，這段日子個人既負擔學校行政工作責任，又要侍奉年近八旬老母，四位嗷嗷待哺子女，端賴另一半——亞菁的寬容韌性，讓個人無後顧之憂，能夠在行政餘暇，時輟時續對當代相關的小說外，偶而插手散文、戲劇，就是不敢涉足新詩，或是所謂現代詩，寫些相當幼稚且不夠成熟的評介短文抑是專論，沒想到後來竟能結集爲「現代文學評論」，且對岸學者袁良駿的「白先勇論」竟然多次援引拙著，且將拙文臚列該書後面所附的書目，這真有如俗話所說的「有心栽花花不開，無心插柳柳成蔭」的無奈與惆悵。

提及瘂弦，對台灣當代文壇稍有接觸的讀者相信多少都認識他。瘂弦的唯一詩集——「深淵」不知風靡多少讀者，截至目前重印多少版，銷售多少本已經不是重要問題，問題是當時行伍出身的小說家如司馬中原、朱西寧、段彩華等，詩人如瘂弦、洛夫、商禽、管管等。在一般通俗社會價值觀念總認爲軍人僅是一介武夫，僅會持槍作戰。沒有料到，這些軍人舞文弄墨，寫小說寫新詩，竟然前後都成爲相當俱有份量、地位的小說家、詩人。而更難能可貴的他們的作品始終長久地贏得一代接一代讀者的喜歡厚愛。相信他們在台灣文學的歷史一定有他們應有的地位。而瘂弦更是軍人作家的異數，他前後接掌「幼獅文藝」、「聯合報副刊」主編，慧眼獨具披沙瀝金培育不少數目，今日文壇皆能獨當一面的作家。個人能夠認識瘂弦也是相當意外偶然，那時雖然當校長，卻不斷寫些評介當代文學的零零碎碎沒有什麼創意觀點的東西，尤其對小說家姜貴、張愛玲、白先勇、陳若曦、陳映真、王禎和、七等生和黃春明等人的作品，曾經花費相當的時間細嚼苦讀，拙文——「王禎和小說的人物造型」發表於六十七年四月二九二期的「幼獅文藝」。而七十年元月三二五期的「幼獅文藝」又披露拙文—「讀『中國現代小說史』中譯本。」（兩篇拙文皆收入七十二年二月東大初版的拙著「現代文學評論」）。說來實在命運弄人，個人卅年，竟然沒有任何稿件被聯合報、中國時報副刊所採納。有次瘂弦來救國團演講，猶記得當時講的是創作經驗，那時大約廿年前個人卅五、六歲，偕中文系同窗吳仁懋君去聽瘂弦的演講，吳君一向戲稱個人是他的酒肉朋友，演講後央請瘂弦拍攝合照紀念，瘂弦站在中間，這張照片目前個人仍舊珍藏著。可惜，這段大約廿年歲月，彼此來往不知多少信函，竟然也因爲個人離開故鄉遷居外地服務而不幸全部遺落，想起這件往事，實在令人萬分扼腕，可是只有惆悵遺憾外、又能說些什麼呢？

提及瘂弦，又讓個人突兀聯想塵封多年的往事。個人一再強調不懂新詩，或是所謂現代詩。可是那次卻屬意外，目前那間出版社早就關門大吉，當時該社出版洛夫詩集—「眾荷喧嘩」。如果沒有記錯，那段日子正是個人一步一步走向死亡的坎坷尷尬無奈的歲月，在百無聊賴回鄉靜養，全靠家人親友的呵護，那段沒有任何求生意志，沒有陽光照射的日子，個人將洛夫的「眾荷喧嘩」逐句逐段的默唸吟詠，然後將個人認爲比較警策詩句鈔錄，而後郵寄給瘂弦，期盼他指出那些警策詩句是不是真的無誤，也許他根本早就忘記這件在他一生毫無意義的往事。可是事隔廿多年，個人仍依稀記得當時利用十行公文信紙，鈔錄兩三張信紙警策詩句，個人使用普通藍色原子筆字跡，而瘂弦卻用紅色簽字筆，逐句勾勒批註，指出那些正確，那些有待商榷，那封信件目前也遭遺落命運，相信瘂弦早就忘記，除非他有影印拙稿，可是這是個人一生唯一從頭到尾逐字逐句讀完的詩集，今日閱讀彼岸學者龍彼德的「一代詩魔——洛夫」提及洛夫姓莫、本名運端，他的父母希望他的命運有好的開始。後因嗜愛蘇俄文學，自己改名爲洛夫。

提及瘂弦另有一件個人刻骨銘心終身難忘的往事。曾經有一段日子，除校務外，零零碎碎閒暇全部專注於當代台灣小說家作品的研讀，也先後寫成幾篇比較冗長的評介。個人截至目前仍醉心某位小說家，瘂弦或許還記得，或許已經忘記，在彼此來往的書扎，曾經幾次向他討教個人如何激賞這位小說家的作品，他總是淡淡地提及這位小說家是個麻煩人物，尤其特別強調麻煩兩個字，出自愛護關照個人的心情溢於言表，也許個人評介文字深度不夠，或是不適合聯合報副刊的稿約，說是退稿比較難聽，因爲瘂弦提攜後進，循循善誘他人的儒雅有口皆碑。曾經在他的自選集前面有數幅生活剪影，有張他和另一半（橋橋）那種只羨鴛鴦不羨仙的畫面，相信任何人看後多少都難免有些嫉妒。除了抱歉，還是抱歉，一再強調聯合報副刊稿擠外，商量有意願發表於「幼獅文藝」嗎？就像前面提及那篇「王禎和小說的人物造型」。有時瘂弦關心厚愛提醒建議個人不妨改投其他雜誌，如拙文「姜貴的心靈世界—『碧海青天夜夜心』」就發表於六十五年六月七十一期的「中華文藝」。「一則故事兩種寫法—以陳映真的『唐倩的喜劇』和七等生的『期待白馬而顯現唐倩』爲例」就發表於六十八年二月七卷九期的「中外文學」。「試評陳映真的『第一件差事』」就發表於七十年九月七十四期的「台灣文藝」（三篇拙文亦收入拙著「現代文學評論」）而「試評陳映真的『第一件差事』」當時中國時報人間副刊的主編（姑隱其名）原本有意採用，後來竟將拙稿遺失，當時個人沒有影印習慣，當時影印亦相當罕見，該主編建議個人再重寫，個人真的重寫，可是那種心情寫出的東西恐怕就無法相提並論，個人卅年，沒有任何稿件被聯合報、中國時報副刊所採納的原委始末。近日有某位頗負盛名的小說家接受採訪就說：「解讀是個人的自由，那是一個新的創作，所以怎樣解釋沒什麼關係。當然他的解釋跟你的想法會有距離。」真的一語道破個人廿年前從事評介作品的心情。而廿幾年，個人卻回歸本行，從事古籍校釋、今註今譯的評介寫作，將約卅篇評介文字輯爲「古籍校釋、今註今譯評介論集」出版。剩下沒有多少的殘年，就全部要從事「昭明文選」等七部校釋工作，能夠完成多少，那就要仰賴蒼天憫憐個人給予多少的生命。

提及周夢蝶的詩集，有件塵封將近廿五年的往事突又莫名的湧回心頭。個人接觸台灣有關當代文學腳步可說相當的落後，偏愛搜集一般文壇比較讓人刮目相看的雜誌。目前個人擁有的「純文學」、「書評書目」和「文學雜誌」等皆是完整無缺。前二者是按期訂閱，後者是合訂本，而「文學季刊」和「現代文學」兩種雜誌沒有齊全，尤其是早期皆是零零落落。而「文學季刊」改爲「文季」後卻完整無缺。而鍾肇政負責的「台灣文藝」個人手頭擁有整套合訂本。另外台灣大學外文系主持的「中外文學」個人身邊大約僅有百期左右，後來就沒有下文。至於目前較爲嚴肅的「聯合文學」因爲個人研讀方向的轉變，僅僅只是零星不全數期充數，完全視個人興趣而定，就像最近爲一睹爲快陳映真的「忠孝公園」，才買回九十年七月二〇一期「聯合文學」。個人生長窮鄉僻壤，截至考取北部頗負盛名院校的中文系以前，對所謂北部首善都會不但沒有印象認識，更遑論觀光旅遊。猶記當時北上註冊還拜託四哥和堂兄結伴，勉強借住三哥的長男工作的老闆相當狹隘的工寮。那一年個人不知什麼原因，生活功課都沒有什麼異常，只是日夜都無法成眠，也不知什麼原因常常面對落日就莫名傷心落淚，年屆七旬慈母到處求神問卦，親友提供土方藥石，不是說神經衰弱，就是說時運不濟。後來也不知什麼原因，怪病竟然也莫名其妙痊癒。大一那年暑假個人這一生的第一件差事，在高中三年同窗洪春雄君的父親經管雜糧工廠打工，白天負責稱量雜糧、販賣產品和零碎瑣事，夜晚陪洪君么妹即將參加聯考唸點英文、數學。今日也想不起當時日薪多少，那年暑假到底領多少薪水。倒是洪君父母視個人如同己出，而洪君又是獨生子，卻有姊妹七人，那年暑假五六十天對個人截至目前可說是難忘而溫馨的歲月。其中有兩件讓個人永難忘懷的往事。一件是個人一向不敢喫苦瓜，洪家常常有一道苦瓜燉五花肉卻是個人慢慢品嚐，到今天仍是個人相當嗜愛的佳肴。另一件卻是影響個人日後終生對文學矢志不渝的盛事。

說來抑是巧合，個人聯考成績尚差強人意，不知何故竟然分發在地理系，唸完一年欲轉英語系，因爲只有二個名額，欲轉往該系將近百名，英語系沒轉成，卻轉到全校最大的科系，每年級有三個班，總數將近二百名。洪君的五姊洪碧君，個人小她六七歲，也稱呼她五姊。也不知什麼原因，她竟然擁有二三十本「作品」雜誌，說是借，不如說等於贈送。如果以今日出版的文學雜誌來看待，「作品」程度水準實在沒有什麼，但是那畢竟是三四十年前的東西，實在無法相提並論。那個年代，魯迅的「阿Q正傳」仍是被列爲禁書。爲感念五姊洪碧君，個人曾經手抄兩部「阿Q正傳」，將一部比較工整的送給她，她是鼓勵影響個人最多最深的女性，且是個人終生尊敬的女性，不知那本手抄的「阿Q正傳」她尚有沒有保存。另外一部字跡幼稚笨拙，目前仍在個人身邊，雖然紙張變黃，雖然書架有三四部台灣盜版的「阿Q正傳」，可是個人仍是鍾愛眷念那部泛黃的手抄本。五姊洪碧君那些「作品」雜誌目前到底有沒有存放在個人的書櫥，抑是被當廢紙掃除，或是以斤計兩賣去，說來皆無任何意義。唯一值得對五姊洪碧君感謝的，個人偏愛搜集雜誌尤其是文學類的雜誌完全是她的二三十本「作品」雜誌所帶來的因緣。三四十年就像流水般逝去，剩餘生命不可能再有三四十年。周夢蝶出生一九二一年，算來超過八旬矣，相信他絕對不會知道台灣竟然有這麼一個癡心的讀者而且年屆六旬對他如此的懷念。而且竟然是事隔廿五年的一封毫不牽涉的信函所引起。周夢蝶給個人那張明信片郵戳是一九七七年六月卅日。而陳之藩談作者與編者的一封信，如果個人不稍加說明，任何人都有如丈二金剛摸不著頭。因爲周夢蝶親筆寫給個人那張明信片，和陳之藩寄給聯合報副刊的編者完全是風馬牛不相及。可是個人面對陳之藩那一封信，再看看周夢蝶那張明信牙，那份激動，那份惆悵，相信外人絕對無法體會。因爲這一封信這一張明信片，怎麼可能有任何牽引糾葛呢？

周夢蝶給個人那張明信片，可說是無字天書。而和陳之藩給編者的信，說是異曲同工恐怕亦不過分。陳之藩的「旅美小簡」、「在春風裏」、「劍河倒影」和「一星如月」等散文集，四十年來不知風靡多少華語地區的讀者。而陳之藩又是惜墨如金，(這個金字應該解讀爲鑽石才傳神)，有人曾經統計陳之藩平均每年只寫多少字，而他本身又是唸電機出身的。那封信是編者催他寫稿，陳之藩不寫稿也就算罷，他偏偏說出一個小故事，而且竟然在信末又調侃自己和編者說：「你看給你寫的這封塞責的信，幾乎變成一篇文章。一笑。」而編者在信前又註明這封信是陳之藩「隨手回給聯副編者的一封信，故實精選，情識兼美，爲書札中罕見，特徵得發信人同意刊出，與讀者分享。」讀者如果看完這封信，必定產生人家編者催稿邀稿，陳之藩你怎麼會如此絕情。陳之藩先從雨果寫完「悲慘世界」後，寄給某家出版社，雨果久候沒有回音，寫信去問去催。雨果摧問的信只有一個符號。符號如下：「？——雨果」。

沒有想到，出版社的編者立即給他回函。回函內容，竟然也只有一個符號。符號如下：「！——編者」。以後的事實，當然「悲慘世界」付印、暢銷，巴黎（不是洛陽）紙貴等等，自然不必詳言。陳之藩接著敘說他接到聯副編者催他寫稿一事就笑個不停，他突然奇想認為這種狀況實在簡單如同一個符號，可是情況卻與雨果當年的處境完全相反。陳之藩面對邀稿催稿，他就回函只有一個符號。符號如下：「？——編者」。編者接到他的信，一看竟然仍是空空如也，也可能竟然以下列符號回覆：「○！——陳之藩」。陳之藩接著以他專業的素養向讀者解釋，「○！」這個符號別人乍看是驚人的大零蛋，其實有數學專業素養的都知道「○！一」，即零的接乘等於一。看完陳之藩這封給聯副編者的信，因為個人實在不知為何零的接乘等於一，而且個人也不相信零的接乘竟然會等於一這個事實，詢問所有受過數學相關訓練且又有專業基礎的竟然也異口同聲說事實就是如此，個人既是外行，當然只有啞口無言。

周夢蝶給個人那張明信片，說是無字天書，絕無絲毫誇張。緣由是個人有意補齊「現代文學」早期所缺不全的幾期。那次去武昌街明星咖啡館前周夢蝶擺設販賣舊書的書架，企盼能覓及那幾期「現代文學」的舊雜誌。猶記得周夢蝶午後打盹打坐，個人不敢驚動他。聽說他的書架擺設的新書舊書大都是朋友贈送的。他只是將價格標識，完全聽任讀者喜歡，將書帶走將錢收下，個人不知還有什麼地方、還有什麼書攤，竟然有這種商業貿易的方式。個人如果沒有記錯的話，類似組合試靠著騎樓前石柱，為避免妨害行人往來，書架大小高低可想而知。面對那些琳瑯滿目，既沒有整理又沒有稍加分類，想找到個人偏愛的文學雜誌書刊亦屬不易，那次個人空手而歸。周夢蝶午盹醒來看有個人只是稍微笑剎那，竟無一語。想是他對任何讀者都是陌生的，想是他對任何來到他的書攤的讀者應該都是如此的。個人後來向他詳細說明搜集早期的「現代文學」的原由始末，他也僅僅說兩三個字好字，聲音出奇細小，個人將資料簡略抄下就悵然離去。也記不得經過多少日子，他竟然寄來那張有如無字天書的明信片，個人欣喜若狂。這張明信片是個人唯一珍惜的東西。說來任人皆不相信，明信片正面收信人住址，只有「虎尾」鎮字卻缺，只有「振興先生」姓字卻無。又無「收」字。寄信人住址全無。兩行僅僅八字：「無。歉！六月廿九日夢」。背面沒有隻語片言。僅僅蓋有「一九七七年六月卅的」的郵戳、和「請寫郵遞區號、請用標準信封」兩個圖章。個人當是惆然卻帶微笑，心想正面既然表明「抱歉沒有你要的書」，可是「夢」上周姓沒寫還勉強說得過去，「夢」下蝶字沒寫未免有點那個，可是再想周夢蝶，似乎也就什麼都沒有話說，當然只有傻笑無言。

周夢蝶的「孤獨國」、「還魂草」兩本詩集出版後（前者一九五九年藍星詩社發行，後者一九六五年文星書店出版）將近四十年，他的詩作更精，量卻銳減。聽說最近計劃將「還魂草」以後的詩作，和將他在副刊、雜誌以「風耳樓小牘」爲主軸，所寫的書信散文結集出書。據說可能是「厚厚一冊」，也可能是「薄薄兩冊」。若是厚厚一冊，將取名「人面石」。

如果是薄薄兩冊，則可能是「十三朵白菊花」和「約會」。至於詩集名字已有腹案。最後抄錄周夢蝶近作「偶而」（二〇〇一年十二月廿日聯合報副刊）當爲本文的結束，爲避免篇幅冗長，僅摘錄詩作首、中、末三句。

首句爲「生活沒有偶而／是挺不好受的／你說」

中句爲「生活裡沒有偶而／是不堪忍受的」

末句爲「雖然十分十分難以想像，如果／如果生活裏沒有偶而」

二〇〇二年二月廿五日重病　痊癒出院

「古籍校釋、今註今譯評介論集」後記

十七年前，曾經出版並不十分成熟的作品——「現代文學評論」，書名似乎冠冕堂皇，內容卻僅僅是泛泛一隅淺見。猶記得當時原擬將書名定為「亞菁論學雜著」，書商為恐影響銷路，建議改名，個人亦從善如流。類似這種作品銷路本就可以預期，十七年來確實銷售多少雖然無法正確統計。但是成績不佳必是無法逃避的結果。唯一讓個人感到欣慰的一件事，彼岸學者袁良駿的「白先勇論」竟然多次援引拙作，而且又臚列於後面書目。

十七年後，個人又將推出另一部相信亦不十分成熟，且內容又與前者完全毫不相干的作品，內心的感慨實非語言所能形容。雖然兩者都屬於文學的範疇，可是前者是現代，後者是古典。而個人又是出身台灣師大的國文系，如果有所謂的專業訓練，當然是屬於後者的古典，如此說來，前者的現代勉強亦僅僅是業餘性質。但是嚴肅地說，將文學一刀兩斷分為現代與古典，顯然是相當不合情理，且亦是十分殘忍的。

十七年六千多個日子，說長不長說短不短，可是人生又有幾個十七年呢？何況刪除渾渾噩噩的幼稚年少和鮐背黃髮的耋耄暮年，屈指可數的歲月剩餘又何其有限。這十七年應該正是個人的黃金歲月。可是又何其不幸，在這十七年的歲月，因緣際會卻在個人的人生旅程，掀起浪濤洶湧的坎坷，一路走來實在讓人不堪回首。原來擔任一間不大不小的學校主管，竟莫名其妙沒有任何理由跡象被驅逐出門，在那六年類似放逐流浪，卻又有點韜光隱晦的歲月出人意料，竟然能夠將以前從事行政而荒蕪的相關的校釋和今註今譯的資料，重新從塵封的抽屜裡全部搬出。個人都無法相信在過去幾年的歲月，竟然能夠斷斷續續抄錄如此讓人無法相信的數目文字。粗略估計，手邊至少抄錄有「史記」、「文選」、「文心雕龍」、「淮南子」、「荀子」、「列子」、「六祖壇經」等多部的原文，旁邊又有密密麻麻的箋注及相關資料，字數總計有多少，一時實在無法算出。今生今世，恐怕永遠無法寫出任何不朽傳世作品，但所抄錄的東西卻表示在某一時段，個人曾經努力的記錄。今日檢視這些抄錄的東西，有時竟連個人都詫異無法相信當時是如何完成。尤其類似「史記」、「文選」這種卷帙浩繁的著作原文本就相當龐大，再加箋注和相關資料臚列在旁，如果不是經年累月的不斷儲積，怎麼可能達成呢?命運實在也真弄人，想不到六年放逐流浪的歲月後，個人竟然又轉任另外也是一間不大不小的學校擔任主管，而迄今又將屆六十，除「六祖壇經」外，就沒有再抄錄任何東西。

說起「六祖壇經」卻讓個人莫名的感傷與惆悵。猶記得卅年前就讀大學時，系裡有一門必修的「中國哲學史」課程，擔任授課的年輕瀟灑講師，經常一襲風衣，沒有攜帶任何資料，有時竟能憑藉記憶將原典琅琅唸出或板書讓聽課者抄錄，他的博聞強記當然讓聽者五體投地佩服，可是根據前後歷屆兄姊弟妹印證，一年「中國哲學史」課程結束都僅講畢魏晉玄學。而後的隋唐佛學，宋明理學、清朝樸學（或稱考據學）卻始終不見下文。而眾所周知，宋明理學、清朝樸學兩門課程只要肯下工夫，最後多少都能摸索出一點東西。唯獨隋唐佛學，如果沒有入門根基，似乎無法進入深奧殿堂。今日多少文史哲系所出身的，大概都擁有唐君毅、牟宗三、方東美等時賢滿櫥的鉅著，可是想想到底有多少人對隋唐相關的篇章段落能真正的了解，是不是仍舊停留在一知半解的邊緣，這實在是讓人感到相當遺憾的。而屈指算來，投入教育工作將屆三十年，雖然不敢說有什麼成就，可是在個人崗位工作似也尚無愧於心，而讓個人惆悵的似乎始終沒有找到安身立命的方向。而在一個沒有刻意安排的場合，一位昔日紅粉知己喫齋將屆十年，語重心長規勸個人唯有努力修行才是唯一途徑。而事實上多少至親好友亦皆先後不斷要個人與佛門結緣，只是光陰一再蹉跎，至今實踐喫齋亦已半年。而個人對紅粉摯友的回應，亦僅僅只是抄錄「六祖壇經」的原文和相關的箋註資料，而實際所有字數比起前列數書可說是滄海一粟。雖然如此，對那位紅粉知己和至親好友的美意，個人將刻骨銘心的感激。

十七年六千多個日子，長期抄錄「史記」、「文選」、「文心雕龍」、「淮南子」、「荀子」、「列子」等書的原文和相關的著作，清代考據大師王念孫、王引之、俞樾等人鉅著如「讀書雜誌」、「經義述聞」、「經傳釋詞」、「古書疑義舉例」等固不必說，即如時賢王叔岷、屈萬里、王夢鷗等大作亦時時披覽參考，因爲長期的接觸，難免有些淺見，形諸筆端，便是這些評介文字的總集。而全書將近三十篇；王叔岷、屈萬里、王夢鷗三位時賢都多達三四篇，這僅是淺學後生如個人對時賢表示崇高的敬意。非常遺憾，個人皆非他們的門生，無法聆聽他們的博學宏論。唯一例外的是魯實先教授，個人曾接受他的「文字學」、「尙書」、「鐘鼎文」等課程的薰陶，啓發日後對古籍閱讀的興趣，魯教授私淑弟子不少在杏壇的表現都有相當讓人刮目相目的成績。而個人才質魯鈍，連研究所考試都敗北，而後以投入事雜心煩的行政工作，雖說與古籍都沒有脫離，但要談成就可說是異想天開的幼稚可笑。唯一値得安慰，在這段漫長的歲月，閱讀古籍多少減輕事雜心煩的苦楚與無奈。有時閱讀古籍偶而發現得意契合，竟也莫名對著窗外藍天的白雲發呆苦笑。

古籍校釋或是今註今譯，本來就是一件既出力又不討好的工作，有心從事這種工作的意願皆相當低。可是想一想今日閱讀古籍訓練是如何式微，不要說是一般讀者，就是就讀或出身中文系所的到底可能有幾成把握，恐怕相當令人懷疑。歷史、哲學系所除少數或有家學淵源，或是慧根獨具外，閱讀古籍可能更戛戛難入。對長期從事這種工作的碩儒前賢，他們必將永遠贏得後人的尊敬。個人不佞寫出碩儒前賢的鉅著讀後一點淺見，類似班門弄斧的不自量力，卻也希望多少能夠引起就讀或出身中文、抑是歷史、哲學系所閱讀古籍興趣的漣漪，如果能夠達成一絲一毫效果，個人將心滿意足。年齡已屆知天命與耳順的階段，想想從前都沒有什麼傲人的成就，在相當有限即將老耄的未來，如果還奢望有超邁昔日的成績，那無非是自欺欺人、掩人耳目的囈語。個人計劃如果能如願在耳順之年退休，剩餘的幾年歲月將全部投入整理「史記」、「文選」、「文心雕龍」、「淮南子」、「荀子」、「列子」等書的校釋工作，略盡個人棉薄之力，但是這棉薄的心願要想達成，仍有待仰賴蒼天悲憫才能實現。

最後要特別感謝「東方雜誌」、「孔孟月刊」、「中央日報」、「書評書目」、「中外雜誌」、「現代青年」等刊物，讓文章有發表的機會。有少數篇章被退稿，但是有寫作經驗的皆明白，發表的文章並非就是可取，而退稿的文章亦非一無是處。更要感謝在這段歲月所有關心個人生旅波折，寫作過程辛酸的至親好友。更願將此書獻給先父先母，感謝他們含辛茹苦的養育大恩。以及終年照顧四位子女讓個人安心寫作的另一半——亞菁。

八十八年五月

十七年

一

東坡居士名言：「大江東去，浪淘盡，千古風流人物。」誰都無法否認，歲月歷史是最公平而殘酷，不管是王侯將相抑是販夫走卒，皆是一視同仁，絕不另眼看待。誰都是確認要能耐住寂寞，才能成一人物。如何擺脫世俗的名韁利鎖，如何淬煉一肩明月兩袖清風的情操，如果本身沒有超凡踔厲的睿智氣度，想在悠悠歲月贏得歷史定位，恐怕戛戛難哉。當然依據這種標準要求取捨的對象，絕非汲汲營私的芸芸凡夫俗子，而是學術界、文化圈的要角名流。有人喟歎我們的學術界始終培養不出世界級的大師，有人嗤笑我們的文化圈始終豢養二三流的貓犬。歲月不居，俗云少壯不努力，老大徒傷悲。如果經常涉足類似金石堂、誠品等書坊，有不少的畫面，相信關心學術、文化都會搖頭浩歎，悲從中來。

如果學界的專著論文，能夠暢銷，一版再版，當然可喜可賀。聊舉幾位耳熟能詳的，像歷史家的黃仁宇，像文化界的余秋雨，像小說家的蕭麗紅。「萬曆十五年」、「赫遜河畔的中國歷史」、「文化苦旅」、「山居筆記」、「千江有水千江月」、「桂花巷」等書，暢銷經年，竟有短短十幾年，再版高達六七十印的記錄，相信未來的歷史必定留有應有的位置。而讓人百思不解的，我們的學術界有人年僅屆不惑，竟然有超過四五十本的著作。我們的文化圈有人說四十歲以後，不再寫譁眾取寵的暢銷低俗的東西，可是一年一年的過去，竟然仍舊停留在傳統經典如「論語」、「莊子」的翻譯、白話，後面再加數語個人似是而非的解讀，有時僅僅兩三個月就暢銷四五版。如果類似這種怪現狀一日不改，不管學術界抑是文化圈，要期待世界級的大師出現，恐怕緣木求魚。

二

悲觀抑是無奈，姑且不說。古今中外，任何事有正面必有負面，有黑暗必有光明。人生數十寒暑，真正兢兢業業如臨深淵，如履薄冰固守本分崗位的歲月，恐怕僅僅三四十年載。如果三四十載，截取半數約略廿年來檢驗任何人的表現，相信亦非苛求，不說別人，個人亦願接受這種不具任何成文的檢驗。六十耳順即將屆臨，近日整理荒蕪多年的書齋，將積滿塵灰零亂狼藉似乎屬食之無味，棄之可惜的藏書，重新依傳統的經史子集，現代古典歸類，赫然無意發現似多巧合，同一作者，距離將近廿載，兩本著作的來龍去脈，因緣際會有不得一吐爲快衝動，不畏溽暑揮汗綴文，無妨視爲雪泥鴻爪。姑以傅述先的「竹軒時語」爲例，再以個人的一二點點滴滴，略陳前列提及的檢驗任何人約略廿年的表現。

傅述先的「竹軒時語」初版於一九七六年十二月十五日，水芙蓉出版社發行，封面古色古香水墨數株竹枝的設計是袁天一，列爲水芙蓉書庫九十三號，全書正文二六四頁。正文前有作者簡介約四〇〇言，自序亦約四〇〇言。今擇要抄錄數語，爲方便行文依據。作者簡介提及傅述先字竹軒，一九三七年出生，台大外文系畢業，美國印第安那大學比較文學博士，曾任台大外文系客座副教授，星加坡大學英文系講師。又提及他謹嚴治學態度，博覽群書。他談水滸、說西遊、看紅樓，析唐詩、評史詩、講文學，甚至闡揚比較文學，介紹西洋文學名著與人物等皆言之有物，精要明快。自序謙稱：「對文學的經驗，不是創作的魄力，也不是批評的眼光，而只是對生活親身的經歷。」說竹林是一片默默的綠意。說雨過天青，時雨把綠色洗得更綠。「只有青春的熱情，才能培育出一片清新的境界。」自序是寫於一九七五年星加坡大學青舍燈下。粗略估計傅述先當時年僅三十七八歲。「竹軒時語」計收論文十八篇，另有「泳洋新潮」、「博士漫談」、「失群之島」、「冰川和棕櫚」、「重遊日月潭」、「青煙山探幽」和「星娥谷懷古」等七篇雜文應是在作者簡介所提及的「尋幽訪勝」。總計「竹軒時語」論文、雜文廿五篇，篇末皆有提及發表的報章雜誌。其中發表於中國時報「人間」副刊超過半數，發表於中華日報副刊僅兩篇，其餘七篇皆發表於中外文學。

整整十七年六千多個日子，幾乎沒有看見傅述先的論文、雜文。十七年說長不長說短不短，可是人生又有幾個十七年呢！如果略去渾渾噩噩的青澀和鮐背黃髮的垂暮歲段，屈指可數的剩餘日子又何其有限。一九九三年七月高雄復文圖書出版社發行傅述先的「比較文學賞析」，全書正文三六八頁，正文前既沒有任何的作者簡介，也沒有自序，而僅僅在正文後面有篇大約七八百言的後記。從後記的追敘，傅述先從小受他的慈母的熏陶，深深喜愛我國的詩歌和小說，長大後深信「文學與生活應該打成一片。」接著因為他的嚴父與大哥先後任教南北的大學講授我國的古今文學，經常親切教誨鼓勵他和二哥（不知是不是傅孝先？）多多接觸西方世界與西方文學，並希望比較東方西方文學彼此互相參證發明，他取得印第安那大學比較文學博士也許肇生這種具體親切的啓示。後記寫於一九九三年台灣嘉義國立中正大學研究室。再粗略估計，傅述先當時應是將屆耳順的五十七八歲。如果再順延推算，他亦將接近隨心所欲不踰矩的年華。

傅述先在後記又提及「比較文學賞析」收集的文字是他多年來陸續在國內外報章雜誌發表的東西，並且說：「有些經過幾次的修改，全部都代表我今日的見解。」個人不厭其煩，花費數日比對兩書到底有何不同風貌。既然文集取名為「比較文學賞析」，理所當然將「竹軒時語」的七篇雜文割括。其次將論文分為中國文學與西方文學兩部份，前者廿一篇，後者十六篇，總計卅七篇。傅述先將兩者合成一體，是依照歌德所謂的「世界文學的廣見來分析組織材料。」再其次前者有八篇論文收入「竹軒時語」，有十三篇是新增入的，後者有十篇論文也收入「竹軒時語」，新增入的有六篇。而且舊有十八篇發表於中國時報「人間」副刊、中華日報副刊，中外文學等字眼全部不見。新增入的十九篇論文，除少數有註、有引用的參考書目外，亦全部沒有發表何種報章雜誌的字眼。在後記他亦提及他的二哥一再鼓勵他多讀多寫中文、英文。從少數的註及引用的參考書目，印證前面提及他謹嚴治學態度，博覽群書的美譽，洵非虛語。個人不諳外文，僅就幾篇論文、幾本專著屬於本土的臚列於後，將不難窺及。如在「杜甫三首七言律詩中的對比」的註便有王國維的「人間詞話」和葉嘉瑩的「杜甫秋興八首集評」。在「從世界文學看『阿Q正傳』」的引用的參考書目便有戈寶權的「談魯迅生前『阿Q正傳』的外文譯本」、周遐壽的「魯迅小說裏的人物」和俞平伯輯的「脂硯齋紅樓夢輯評」等等。

三

說來也許是巧合，也許不是巧合。傳述先的「竹軒時語」和「比較文學賞析」前後兩書相距十七年。個人的「現代文學評論」和「古籍校釋、今註、今譯評介論集」前後兩書相距亦十七年。而王叔岷的「史記斠證」亦整整寫十七年才完成。陳之藩在披露楊振寧、李政道分道揚鑣事件原委亦提及，愛因斯坦從一九〇五年到一九二二年獲得諾貝爾獎，亦整整等十七年。而白先勇更將他的早期短篇小說精選取名爲「寂寞的十七歲」。爲何不是廿年，抑是十五年，偏偏是十七年。茶餘飯後提及這件巧合趣事，有人說德國大文豪膾炙人口的「少年維特的煩惱」，男主角也許是十七歲，理由是十七歲是不穩定而尷尬的年齡，因爲十七歲再挨一年就是成年，而十六歲卻還整整兩年才能擺脫那種尷尬而到達穩定的情懷。不知是否正確，亦可能永遠沒有答案。個人曾爲有人指責王叔岷花費十七年歲月在斠證「史記」是浪費他的才華、生命，不自量力寫成短文發表於東方雜誌（收入拙著：「古籍校釋、今註、今譯評介論集」）爲他辯護。王叔岷亦謙稱他的「史記斠證」沒有任何成就。只說：「僅僅在斠勘方面，以及旁涉經史子集及其他類書，解決若干考證問題。」個人因爲有意「史記」的校釋工作，曾不惜鉅資，輾轉才購得「史記斠證」皇皇十冊三千餘頁，從頭到尾細讀一遍，那曾經是二十年的往事，讀後心得只有個人知道。「史記斠證」依王叔岷粗略估計多達四百餘萬言。「史記斠證」列爲中央研究院史語研究所專刊七十八，出版於七十二年。事隔七八年，史學前輩就說：「某君此事，據說用功十餘年，書成數百萬字，甚爲自負。」又說：「某君壯年成績著實不錯，我以爲必不很壞。不想只就史文逐條抄列前人考證，自加幾句案語，實少貢獻。尤可怪者，校訂六國史事，而不利用『竹書紀年』，令人駭異。」前輩所提前說皆爲事實，不用贅語，至於王君是否自負，個人亦無從知悉。唯後說，個人則有一二淺見有待說明。拙著：「古籍校釋、今註、今譯評介論集」，連「後記」計算才卅篇，有關王叔岷著、「『古書虛字新義』評介」、「從『十七年研究一部史記』說起」、和「細讀王叔岷教授的『郭象莊子注校記』——兼述他的『列子補正』」）個人卅五年前就讀北部某頗負盛名的院校系所，就斷斷續續從圖書館借出王叔岷的著作細讀苦讀，目前幾乎所有他的著作，個人書架全部擁有排滿，亦代表對王叔岷的崇敬心儀。回頭來說，史學前輩提及王叔岷壯年有不錯的成績，該是說他的「莊子校釋」、「斠讎學」。因爲吳康就曾嘉評他英年好學，前途未易計量。錢穆亦曾一再稱譽他的「莊子校釋」和劉文典（叔雅）的「莊子補正」是近人對莊子的校勘最詳備的著作。且更肯定他的「莊子校釋」用力尤勤，對於莊子原文摘句校釋，至爲詳盡。對於郭象（子玄）區分篇第不當亦有所辨正。對於劉文典的「莊子補正」又多所訂正。至於說「只就史文逐條抄列前人考證」亦屬事實。至於說：「加幾句案語」亦屬事實。因爲王叔岷的「古書虛字新義」及日後的「古籍虛字廣義」皆全是針對古書虛字發前人所未發，言前人所未言。今再檢視「史記斠證」雖不敢說百分之百，說他的案語有十之八九，全是虛字的範疇，洵非虛言。至於前輩提及王叔岷的「史記斠證」沒有利用「竹書紀年」來校計六國史事，真象如何，個人目前無涉足該領域，實不應妄語是非。

四

前面提及的史學前輩又說：「有位朋友說，四十歲以前買力，四十以後賣名。果然這樣，則學術上的真正成就到四十歲前後即將停止，很難再真有進境。」再回頭前面所提，有人年僅屆不惑，竟然有超過四五十本的著作。有人說四十歲以後，不再寫譁眾取寵的暢銷低俗的東西。如依文字多寡粗略估計，有人也許在知天命，或耳順就有著作等身的成果，而不必等到隨心所欲不踰矩的年華。可是能不能夠通過歲月歷史公平而殘酷的檢驗，相信不言而喻的。至於有人說四十歲以後不再寫譁眾取寵的暢銷低俗的東西，而要專注嚴肅的學術工作。也許因爲優渥稿費誘惑，年後一年，日復一日，仍舊率爾操觚，可能爲市場供需，品質竟然每況愈下。有人已經超過知天命而將屆耳順，有人已經超過耳順而將屆隨心所欲不踰矩的年華，除爲他們惋惜，扼腕外，真的不知要說些什麼。今姑且舉一具體例證，當爲本文結束。卅年前，某君年僅屆不惑，獨力譯出原著七百頁的「西洋文學批評史」。前後又主編「西洋文學術語叢刊」廿冊，「西洋現代戲劇論叢」卅六冊，肯定他前程無限，一致喝彩嘉許。不知何故，某君竟然也寫些雜文，又別出心裁寫些古詩賞析，曾經也獲得此起彼落的掌聲。如果個人不是健忘的話，某君亦曾說過四十歲以後要好好努力的話，也不知何故，他竟也爲雜文、賞析、而樂此不疲多年。今日他已屆隨心所欲不踰矩的歲數，也許他身邊有「藏諸名山，傳之其人」的經典鉅著，尙未付梓或未可知。否則就坊間所見那種概論，那種翻譯，相信不會有人替他惋惜、扼腕，反而會責問他，「你到底是在幹啥？」

後記：前面提及有人說四十歲以後，不再寫譁眾取寵的暢銷低俗的讀物，要好好回歸本行專注苦讀，可是真的這樣嗎？想想如果對「論語」、「莊子」等相關基本的專書，如何晏的「論語集解」、皇侃的「論語義疏」和劉寶楠的「論語正義」，或如王叔岷的「莊子校釋」、劉文典的「莊子補正」和錢穆的「莊子纂箋」沒有細讀，而東拉西扯抄錄白話，最後再抄錄似是而非當爲解讀，像這種暢銷低俗的讀物，多一本少一本似乎無關緊要。可是出自名校名系的教授顯然就相當不妥。近日閒逛書坊，赫然又發現他的解讀「老子」。試想他也超過知天命，而漸屆耳順，如果他不煞車珍惜僅存的十幾廿載的歲月，難道我們還奢望期待他的未來嗎？而無獨有偶的，前面提及有人年僅屆不惑，竟然有超過四五十本的著作。他著作等身有沒有價值外人都不敢說。倒是最近以「博雅逝去，才情凋零」爲題，批評時賢錢鍾書、陳寅恪的用語，不知是爲他汗顏，或替他捏冷汗。陳寅恪全集問世，兩岸三地自有定評。錢鍾書的「談藝錄」、「管錐篇」擲地有聲，有目共睹。說錢鍾書的著作充滿誤記、缺徵、謬判，不當行弊端。說陳寅恪的著作跡近附會、且多玄思。具體研究也往往不能成立。又說他立言偏宕，整個描述都是錯的。議論考據多經不起推敲，曾經誤導許多學人等。如果說錢鍾書、陳寅恪的著作真的有如此嚴重的錯誤，卻能夠贏得兩岸三地的喝采評價，那麼我們的學人難道不必閉門思過嗎？否則類似這種不知汗顏，竟自以爲他是這個時代尚有能力，有資格去評騭的人，無非是蜉蟻撼樹，真的是不自量力的狂妄而已。因爲「大江東去，浪淘盡，千古風流人物。」唉，可歎可悲。

十七年（又一章）

約廿年前，將在報章雜誌披露長短不一，且與當代作家有關評判，結集付梓。當初書名擬定名爲「亞菁論學雜著」。亞菁是個人筆名。也是拙荊本名。「論學雜著」四字是個人不自量力從坊間專家學者鉅著的書名摘出。書商因恐影響銷路，建議改爲冠冕堂皇的「現代文學評論」。類似這種性質的東西，書商有意擔當虧本風險已屬萬幸，銷路命運乖舛早可預期。可是敝帚自珍，畢竟仍是個人筆耕十載成果。那時將屆不惑，比起那些四十歲竟然有四十多本著作，或是有人一年竟然寫出幾本作品，實在相當汗顏。有位飲譽中外的小說家，半鼓舞半安慰個人，認爲拙著是長銷書，不是暢銷書。且又補充說明拙著何時再版無法知道，可是三不五時總有需要的讀者購買，個人只有尷尬苦笑。而拙作版權又是賣斷，既無再版三版的版費收入，偶而逛逛書店特別注意拙著蹤影、作者關心銷路亦是常情。一年一年過去，那種心情也一年一年淡薄，最終當然忘記。而往往有不少讓人難料的意外。約十年前，彼岸學者袁良駿的「白先勇論」授權台灣隱地（柯青華）負責的爾雅出版社發行。個人一向對當代台灣小說家的評介相當關切，淺陋無知揣測「白先勇論」應是合法手續授權的前鋒。該書正文將近四百頁，分爲十章，前無序後有跋。附錄將近四十頁，分爲著作目錄、批評目錄索引兩種。另有寥寥兩三頁作者介紹和出版書目。而該書第二章：「從『金大奶奶』到『骨灰』」最後一節引到拙文「期待『長篇鉅著』」一段，今抄錄如下：「白先勇從『台北人』結集後，已經有四、五年沒有新作問世。據說他閉門謝客苦心孤詣在寫『長篇鉅著』。據說目前已經完成約二十萬言。他志在修改，逐字推敲，所以遲遲沒有發表。白先通是中國近代短篇小說的奇才，如果他的『長篇鉅著』能夠保有以前表達短篇小說的水準，或更上一層樓超過以前的成就，這不但是他個人的無上榮幸，更可說爲目前我們的文壇『長篇鉅著』的寥落，注了一針強心劑，且讓我們試目以待。」而在後面的註釋，又標明，「原刊台灣『中外文學』第五六期，收入『現代文學評論』東大圖書公司一九八三年二月初版。」而附錄二—有關白先勇批評目錄索引的台、港、海外部分，又列有拙文「敢愛敢恨、亦雕亦鏤的『玉卿嫂』」，又標明「收入『現代文學評論』東大圖書公司一九八三年二月出版」。從「白先勇論」的兩種附錄知道，白先勇自「台北人」出版後，在寫作所謂「長篇鉅著」的「孽子」前後，他僅發表「夜曲」、「骨灰」短篇小說在人間副刊、聯合文學。台灣重印白先勇早期短篇小說選集皆未收入。目前僅有香港一九八七年白先勇自選集續篇收有「夜曲」、「骨灰」。且又註明選自「紐約客」。而袁良駿的「白先勇論」首章：「導論：一個舊時代的輓歌」又特別提出說明「夜曲」、「骨灰」是白先勇僅有兩篇涉及一九四九年以後彼岸生活作品，而兩篇主題皆圍繞在憤怒控訴「文化大革命」洗劫對文化及知識皆子的摧殘與迫害。而袁良駿亦剴切指陳白先勇因爲缺乏體驗彼岸生活，而且白先勇依據又是第二手材料，致「夜曲」、「骨灰」兩篇小說的表現成就，反而不如陳若曦的「尹縣長」那樣的真實生動。「玉卿嫂」、「孽子」前後被拍成電影，成績如何，自有定論。而截至目前，白先勇沒有再寫出任何短篇或是長篇，唯一從坊間報章雜誌獲知他傾全力爲他的父親白崇禧作傳，據說已經完成將要出版，其餘外人就一無所悉。而前面提及不管正文第二章，抑是附錄二，引到拙著「現代文學評論」皆將個人筆名，拙荆本名的亞菁誤植爲亞青。

十七年後，另有一本拙作—「古籍校釋、今註、今譯評介論集」又由人間出版社發行，聯經出版事業公司銷售。沒有序文，卻有後記。全書二百廿六頁。後記最末的一段是這樣寫的：「要特別感謝『東方雜誌』、『孔孟月刊』、『中央日報』、『書評書目』、『中外文學』、『現代青年』等刊物。讓文章有發表的機會。有少數篇章被退稿，但是有寫作經驗的皆明白，發表的文章並非就是可取，而退稿的文章亦非一無是處。更要感謝在這段歲月所有關心個人生旅波折，寫作過程辛酸的至親好友。更願將此書獻給先父先母，感謝他們含辛茹苦的養育大恩。以及終年照顧四位子女讓個人安心寫作的另一半—亞菁。」全書大約十五萬言，發表大部使用筆名，出版則用個人本名。初版印刷一千本，個人留有兩百本，擬送給至親好友，分享些許喜悅。另外擬送給國內大學中文系所當爲參考。而此次拙作版權沒有賣斷，由個人自費出版。這段日子，贈送至親好友的已經先後分批寄出、或親自送達。個人爲近廿年僅有這麼薄薄的成果相當汗顏，至親好友尤其是中文系所出身的，卻認爲個人在事雜心煩的行政工作閒暇，竟然還能筆耕而感到不可思議。送給至親好友大約留存身旁的三分之一。將送給國內大學中文系所當爲參考的目前仍堆積辦公室的角隅，俟相關資料取得後，再分批送出。而往往有不少讓人難料的意外。

事情經過是這樣的：個人偶而在周休二日會浮生偷閒和三位退休的摯友摸八圈。他們退休幾年賦閒在家，個人仍要爲行政工作奔波。有時盛情難卻，捨命陪君一樂，心情閑暇但負擔繁重，輸贏本可預期。某日雀戰正酣，手機忽然來電響起，素昧平生男子竟然要個人郵寄拙著——「古籍校釋、今註、今譯評介論集」廿本，當時個人心喜莫名外，疑惑類似拙著如此冷僻艱澀的東西竟還有人親自尋問購買。追問方知來人是專門從事外銷日本香港書坊。他因爲從事外銷生意，經常在國家圖書館游走尋找新版漢學著作，然後購買供應異域大學中文系所或圖書館。他轉述是從國家圖書館新書出版目錄發現拙著，又間接從人間出版社的林君取得個人資料。從事漢學著作外銷生意的姓廖，在台北有間書店。因爲拙著託付聯經出版事業公司銷售，所有書價如何折扣，個人一無所悉。收到拙著後，廖君相當客氣急要付款，因爲不知聯經到底多少折扣撥書給中下游書商，如果個人冒然收取廖君書款，萬一折扣比聯經低廉，那豈非罪過。個人一再請廖君稍安勿躁，這件偶發意外到此總告一個段落。

十七年六千多個日子就這樣過去了，規劃生涯的退休日子也一天一天的逼近，回想卅幾年剛從號稱名校的中文系出來，誰沒有什麼雄心壯志，總不應渾渾噩噩虛度一生，如果說有什麼宏願，區區僅想任教中文系，塗寫三兩本對中文系所或多或少有些裨益的東西。蒼天實在弄人，竟連如此卑微心願皆吝於施捨。載浮載沉行政工作將屆廿年，餬口度日。自歎當年報考中研所敗北，又無法屢敗屢戰，有如誤入塵網中一去三十年。幾位中文系所出身的好友，對個人在心煩事雜的行政工作餘暇，竟然筆耕不輟百思不解。其實他們如果知道個人與中研所絕緣後，雖從事案牘勞形的行政工作外，欲寫幾本對中文系所或有裨益的心願，從未忘記、鬆懈。不知在何種狀況，有人提及錢穆的「莊子纂箋」、尹仲容的「呂氏春秋校釋」和陳啓天的「韓非子校釋」等書，在整理古籍的工作都有超邁前賢的成績。而錢穆（賓四）文史哲著作等身當然無話可說，尹氏陳氏皆以政治財經名家，兩人校釋「呂氏春秋」、「韓非子」竟然有讓人刮目相看的成績，實多難能可貴。不知在何種心情，個人萌生對校釋古籍的興趣，或許是多少彌補無法任教中文系的缺憾。豈知如萬斛泉湧的興趣一發而不可收拾。從手邊抄錄紙張早就泛黃的「荀子」旁記日期看來，似乎超過廿年。

廿年來，一邊苦讀一邊鈔錄相關箋注及資料，再加六七部經典的原文，字數多少一時恐無法估計。從最早的「荀子」到最晚的「六祖壇經」，廿年來多少晨昏都沒中輟而樂此不疲，既不爲名也不爲利，純屬興趣，套句某位前輩的話：「這樣做能使自己心裏平靜。」曾經匆匆忙忙爲校刊而草成「荀子勸學篇校釋初稿」交差。又不知那來的突發靈感，坊間的「史記」、「荀子」、「淮南子」、「列子」、「文心雕龍」等書相關的校釋、今註今譯可說汗牛充棟，對中文系所已經提供相當佐助閱讀古籍的材料。而「昭明文選」雖有三四種彼岸的今註今譯可供參考，唯一缺憾的「昭明文選」的校釋，似乎尙未出現坊間。個人不揣譾陋，不自量力在唸中文系同儕前，擬以五年時間寫出「昭明文選」約佔三分之一篇幅——「賦」的校釋工作。這件可說相當龐大的工程，尤其是「賦」沒有相當的耐心，要完成實非易事。一年來將手邊「昭明文選」鈔錄的原文、箋注舊稿，再逐字逐頁的推敲，參考坊間新版相關著作資料，確屬不易的箋注留存外，可再商榷或者訛誤的不憚的塗改再三。過程的苦澀實難爲外人多說。而那種偶獲創見的喜稅，更非局外人所能想像。如果蒼天憐憫個人這份苦心孤詣的情懷，順利將「賦」的校釋在五年完成，付梓出版，接著再將「昭明文選」其餘文類的校釋全部寫出，不敢說對中文系所有什麼貢獻，至少個人將使缺憾心願逐漸剔除。如果蒼天不吝再給個人幾年的壽命，相信「史記」等書的校釋不難逐部寫成，屆時個人必可無憾不虛此生。

黃春明小說集

在一九八五年，皇冠出版黃春明的小說集，依照作品發表年次，輯爲三冊，分別爲「青番公的故事」、「鑼」、「莎喲娜啦、再見」。當時廣告特別提及包括未出版過的早期作品。如果個人推測無誤的話，黃春明未出版過的早期作品，應該是指收在小說集首冊（一九六二—一九六八）裏的〈城仔落車〉、〈小巴哈〉、〈北門街〉、〈玩火〉、〈兩萬年的歷史〉、〈把瓶子升上去〉、〈借個火〉、〈照鏡子〉等篇。黃春明的小說集「鑼」、「莎喲娜啦、再見」、「小寡婦」、「我愛瑪莉」四冊，全由遠景出版社發行，發行時間爲一九七四—一九七九年，前三冊特價每冊四〇元，最後一冊定價五五元。而「鑼」、「莎喲娜啦、再見」二冊更被列爲遠景叢刊的一號、二號。深受讀者喜愛的小說集，如王禎和的「嫁粧一牛車」、陳映真的「第一件差事」、「將軍族」、陳若曦的「尹縣長」、白先勇的「寂寞的十七歲」等皆是日後斷斷續續由遠景出版。其實在遠景發行黃春明四冊小說集前五年，也就是一九六九年，他的小說集「兒子的大玩偶」就已由仙人掌出版社發行，定價港幣四元（折合當時台幣十六元），被列爲仙人掌文庫廿八號。當時比較引人注目被列爲文庫的小說集，尚有白先勇的「游園驚夢」、於梨華的「白駒集」、曉風的「哭牆」等。這已經是卅幾年陳年舊事，個人曾不揣譾陋，先後寫幾篇有關王禎和、陳映真、陳若曦、白先勇等人小說的評介，且陸續披露在「幼獅文藝」、「中外文學」、「台灣文藝」等雜誌。本來有意寫篇評介黃春明小說裏與小人物有關的文字，後因轉向鑽研評介古籍校釋、今註今譯方面的工作，那篇評介僅僅寫出開頭幾行就無疾而終。事隔多年，雖欲提筆，卻不知道要如何繼續完成，茫然困惑、斗室踱步，無意卻見到書櫥小說欄整齊排列黃春明的小說集，爲彌補個人這點延誤這麼悠久的缺憾，僅就前面提及的幾本黃春明的小說集有關的自序、他序、後記等文字，拉雜寫些小說集收輯的篇目始末，或許是毫無章法品味的大雜燴。可是對未來寫黃春明傳記、或是文學史，也許多少能提供一點資料。而且卅幾年前這些小說集，除圖書館及有心研讀小說刻意保存外，這些初版的小說集恐怕會一天比一天難以見到。

一九六九年仙人掌文庫的「兒子的大玩偶」小說集，除同名的小說外，尚收有〈魚〉、〈溺死一隻老貓〉、〈看海的日子〉、〈青番公的故事〉和〈癬〉等五篇。前有沒有署名的「關於黃春明」，後有黃春明的「不是後記的後記」。從這兩篇前言後記，讀者獲知黃春明是台灣宜蘭人，他的作品也大多取材於這個地方。他的出現似乎在林海音女士主編「聯合報副刊」的時代，而後「文學」季刊創辦，他成爲「文學」季刊大將，作品愈來愈有獨特的樸實風格。集裏的幾篇小說曾經先後被報刊討論過，而且不能將他局限列為「鄉土作家」，因為他選用這些素材僅僅為表現的方便，換句話說，黃春明透過這群他熟悉的人物，傳達他對這個世界的關懷。而黃春明作品筆下幾乎都是那些「卑微的、委屈的、愚昧的」小人物。而讀者從作品字裏行間可以強烈嗅出黃春明那種「天地不仁、以萬物為芻狗」的悲憫情懷，及那股強烈的泥土芬芳氣息，而歸結出生命的成長與希望。「兒子的大玩偶」雖是黃春明的第一部作品，卻肯定他有深厚的潛力，未來必有源源不息的創作生命。而黃春明最感謝姚一葦教授和「文學」季刊的幾位朋友，在他那段創作摸索過程的兩三年，熱誠慷慨給他的指點，原本他不想寫後記，他認為如果對小說集自己想向讀者說的話全部寫出，不但又沉（冗）又長，其實僅是修修補補的工作而已，而拗不過仙人掌出版社發行人林秉欽的關心與美意，才寫出那篇兩造皆大歡喜的「不是後記的後記」。

一九七四年遠景叢刊的「鑼」小說集，除同名的小說外，尚收有〈甘庚伯的黃昏〉、〈阿尨與警察〉、〈兒子的大玩偶〉和〈兩個油漆匠〉等四篇。前有黃春明的「自序」，他說有次在某個菜市場的角落，曾經見到一個十歲左右的男童，蹲在地上，將自己那隻極像象形文字「手」字的手，當為搖鼓，然後正反正反不停的搖動，然後便有稀稀落落銅板掉進男童前面飯盒的聲音，這個聲音日後便一直跟隨他的旅途。這個畫面便是「鑼」的封面，也是黃春明的畫作。過些日子，他回程又經過這個小鎮，又見到那隻手，那隻手仍當為搖鼓不停的搖動。讓他更驚訝，聽說有個喝醉酒的油漆匠替他出的主意，從大拇指開始，依紅、綠、白、藍、黃次序著色，如此一來，男童的手便紅、綠、白、藍、黃，而後黃、藍、白、綠、紅正反正反不停的搖幌。從此他就停留在這個小鎮，後來就認識那個喝醉酒的油漆匠，他不喝醉酒，倒是一個老實人，也因此他認識那個男童，和小鎮其他的人，如憨欽仔、江阿發、阿倉、梅子、坤樹、甘庚伯、阿盛、青番公等，這些人物便是黃春明小說的主角，黃春明便是被他們善良的心地感動，而不再漂泊流浪，從而認定這個地方是他一直在尋找，而且是個什麼都不欠缺的完整世界。

一九七四年遠景叢刊的「莎喲娜啦、再見」小說集，除同名的小說外，尙收有〈青番公的故事〉、〈蘋果的滋味〉和〈看海的日子〉等三篇。前有黃春明的「自序」，再以他的小說〈男人與小刀〉附在自序的後面。他說：「我畢竟是寫小說的。」他說有許多事情常想以小說來解決，這種事情就像神父或教師，遇到別人或個人有困難，通常就是禱告。不過他又坦陳以寫小說來解決生活的伎倆，往往是左支右絀，而又佩服司馬中原在這方面卻有別人做不到的成績。而他以「男人與小刀」當爲自序也是以小說來解決事情的例子。而〈男人與小刀〉在一九六一──一九六三年前後投給「幼獅文藝」，主編朱橋沒經他的同意擅將篇名改爲〈他與小刀〉，黃春明爲此大發雷霆，先以電話臭罵朱橋一頓，又趕去台北當面跟他爭吵，弄得朱橋無奈大吼要叫警察來捉流氓，幾年後朱橋自殺，勾起黃春明當時那種魯莽行爲而感到幼稚，而有說不出的難過。黃春明還調侃自己當時自認爲〈男人與小刀〉是一篇世界名作，而慚愧〈男人與小刀〉無非是幼稚的心理年齡寫出的作品。而且說那篇作品「有多蒼白就多蒼白，有多孤絕就多孤絕。」而在〈男人與小刀〉後面，相距大約十年時間，黃春明又寫四五行不足二〇〇字附註，強調讀者還會被〈男人與小刀〉感動的話，證明讀者仍是年輕。他並強調年輕並沒有什麼不好，年輕只是代表人生過程的一個階段，而且鼓勵任何人應該盡力走過。至於他將〈男人與小刀〉當爲小說集的序文，在於提醒自己，寫作往往容易讓作者返老還童，然後戲謔調侃，如果事實不是如此，「爲什麼我們的文壇經常會讀到四五十歲的人，寫出十七八歲的東西呢？」

一九七五年遠景叢刊的「小寡婦」小說集，除同名的小說外，尚收有〈魚〉、〈溺死一隻老貓〉、〈癬〉、〈小琪的那一頂帽子〉等四篇。前有林海音女士的序文：「這個『自暴自棄』的黃春明」。她認爲黃春明的「自暴自棄」個性，雖曾轉讀幾間師範學校，但並非「不求上進」、「意志薄弱」等等，他的「自暴自棄」是絕不爲利益而去迎合遷就他人，他厭惡鄉愿的是非不明，如此脾氣就難免急躁。雖然有時讓人難免幾許無奈，可是她卻反問，如果黃春明有些成就的話，難道與他這種「自暴自棄」個性全沒有關係嗎？黃春明開始出現在林海音女士主編「聯合報刊」的年代。她認爲當時他那些篇幅比較短小的小說，並不差於日後的小說，而且也相當成熟。她回憶當年是如何喜歡那篇僅僅三兩千字的小說，當年是如何喜歡如何擔心那篇「把瓶子升上去」的小說，如何讀了又讀，如何改了又改，如何發下去，又如何抽回來，最後也以「自暴自棄」的心情處理。黃春明感謝的話是這樣說的：「如果你在十幾年前，退回我初次的投稿，我就不會繼續寫小說，我也不是今天的我了。」而當時在「聯合報副刊」發表引人注目的小說，也就是沒有收進他的小說集，而在一九八五年才出現在皇冠出版小說集首冊（一九六二—一九六八）裏那七八篇。因為黃春明根本沒有保留存稿，要麻煩拜託替他找找，這也就是那七八篇日後得以重現文壇的因緣。個人心想，林海音女士對黃春明如何走出一條小說家的道路，她所積的功德，恐怕很難再找出第二人。她賞識他的小說僅僅只是為表現「事情」，不在文字雕琢下工夫，而僅僅使用平常的字彙語言來描寫事情、人物。而這些事情、人物，又是平常我們周遭看見發生的，如此搭配顯然相當吻合。她賞識他的小說，認為他並非憤世嫉俗、他並非玩世不恭，儘管諷刺社會、同情陋巷那些人物，後面卻有一股「熱愛」的情懷在支撐、在推動。她相信步入中年的黃春明，雖然他愛好和理想的事情實在太多，也許一個人時間畢竟有限，一時也許無法完成，但是堅信他的年齡正是精力富強思想成熟，絕對沒有困難，可以將他的工作一項一項完成。

一九七九年遠景叢刊的「我愛瑪莉」小說集，除同名的小說外，尚收有〈蘋果的滋味〉、〈莎喲娜啦、再見〉等兩篇，前有齊益壽的序文：「一把辛酸淚」，後有黃春明的講稿：「一個作者的卑鄙心靈」。齊益壽的第一句話：「黃春明是著名的鄉土寫實小說家。」

接受他卻又替黃春明辯護說：「黃春明自己可不願意接受這樣的歸類。」因爲從一九六九年發表名噪一時的「鑼」以後，他轉變棄土就洋，雖然有人婉惜，而一直嚮往懷念那聲鑼。其實黃春明離開他的故鄉宜蘭羅東，而落腳台北，一住就是十幾年，無論是他的周遭環境，見到的人物，發生的事情，完全與過去大不相同，如此必然影響他的寫作題材和態度。對過去那些無助鄉親，他當然要同情。而面對當前光怪陸離種種行徑，他當然也要批判，這也就是轉變後的黃春明一行一行的辛酸淚，而讓讀者對黃春明那種辛辣諷刺寄託沈痛而長歎不已。而此階段姑且不論他對歷史洞察眼光銳利、構思情節能力新穎，最讓人折服的是「以喜劇包裹著悲劇的驚人敘事技巧」。回溯當年我們一切唯美國馬首是瞻，社會濃厚崇洋媚外，依賴苟安的積習，萎靡痲痺。接連斷交、撤軍、止約如排山倒海而來，那種滋味該是多麼苦澀，可是我們似乎沒有絲毫感覺牽掛，仍舊無憂無慮。而當年日商的荒淫貪婪，那種趾高氣揚、那種昂首闊步，將台灣視爲經濟殖民地而予取予求。而黃春明在中美斷交前七年，中日斷交前半年就能夠以小說的形式，且不偏不倚平實周到，既含蓄又貼切寫出〈蘋果的滋味〉、〈莎喲娜啦、再見〉，既寫實又浪漫，既諷人又刺己，這種銳利洞察歷史眼光，文壇又有幾個呢？而將社會藏伏的種種危機，能夠說出別人不敢說的，能夠揭露別人忌諱隱瞞的，那種新穎突出構思情節的能力，文壇又有幾個呢？齊益壽的序文：「一把辛酸淚」，副題「我愛瑪莉」序，厚達十六頁，文長七八千字，最後提及我們批評界對黃春明的小說創作，從鄉土寫實而轉爲社會諷刺有相當微辭雜音。他們所持理由有二：藝術性減弱是其一，只有一時的價值，沒有永恆的價值是其二。齊益壽將前者交給黃春明那篇「一個作者的卑鄙心靈」講稿去答辯說明。而針對後者提出他的看法。批評者認爲黃春明社會諷刺的小說，僅取材於此時此地的社會現象、時代問題，而沒有以個人心象、複雜人性爲對象，如此寫出的作品價值當爲只是一時的，而沒有永恆的。齊益壽認爲作品的價值是一時的抑是永恆的，決定於作品的表現是不是真切、深刻、完整、動人。他說：「世界上任何偉大的文學作品，都有特殊的時空性，都是『此時此地』的，只要表現得真切、深刻、完整、動人，便有永恆的價值。」他所持的理由是必先有人，才有人性，沒有人就沒有人性。而人性必然是人與人彼此接觸而形成關係的產物。而這些接觸這些關係是個人心象產生的來源。社會現象是眾多個人心象的反映，時代問題也是眾多複雜人性的產物。如此說來，那些認爲以社會現象、時代問題爲對象的作品價值僅是一時的，沒有永恒的，顯然是沒有道理的，也是難以讓人首肯的。而黃春明的那篇講稿：「一個作者的卑鄙心靈」當爲附錄，是一九七八年元月十六日應政大西語系邀請的演講，更厚達廿四頁，文更長達一萬五千字左右。齊益壽認爲這篇驚人坦城的演講稿，讓人想起法人盧騷的「懺悔錄」，認爲這篇演講稿對了解黃春明創作小說歷程及他的思想情感，是無比珍貴的一篇文獻。原先介紹他演講的題目是：「現實世界與小說世界」，他納悶事前並沒有約定要講這個題目的，憑他過去的經驗，對方都隨他海闊天空的漫談，而他調侃自己既不用功又不飽學，如果扛著這樣題目上台，恐怕讓他頭暈目眩。在如果一定要有題目才像演講的話前提之下，就定爲「一個作者的卑鄙心靈」。有人說他是「小人物的代言人」，說他是「小人物的心聲」，結論無非是悲天憫人。黃春明卻認爲「連家裏的人都沒有去照顧」，如何能悲天憫人。他要反問對於如他小說裏小人物生活的不幸遭遇，「付出與實際無補的那一點本能的同情」，真的就稱爲悲天憫人嗎？從而他認爲盜名欺世是卑鄙之一，而卑鄙之二是他沒有將養狗的精力和狂熱或少許金錢，留給領養孤兒之類有意義的事，而卻「一邊把愛心獻給一隻狗，一邊搖著筆桿寫窮人的故事。」最後讓我們再回頭檢視前面批評黃春明小說轉向社會諷刺有關藝術性減弱的微辭雜音，黃春明藉著「糞土糞金」的價值觀念，強調藝術不藝術要看站在那個角度。因爲黃春明認爲兩個不同環境的人，往往對同一件事物，有極端不同主觀的看法。你有你的藝術標準，我有我的藝術標準，誰是誰非呢？黃春明認爲藝術這種東西，「應該對社會有幫助的才有價值。」反過來說，那些如何偉大了不得的藝術，如果對社會沒有幫助，再如何偉大又有啥路用？那些執著「我們就是要這樣的小說」的批評者、批評界，說黃春明從鄉土寫實轉向社會諷刺後的小說社會性加強而藝術性反而減弱的聲音，從黃春明清楚的自剖，是不是應該重估他的作品藝術的價值呢？

經過如此冗長，東拉西抄有關「黃春明的小說集」的瑣碎軼事趣聞，再回頭一九八五年皇冠出版他的小說集（一九六二—一九六八）的「青番公的故事」、（一九六九—一九七二）

的「鑼」和（一九七三—一九八三）的「莎喲娜啦、再見」，對黃春明做爲一個小說家成長的過程，必然有較廣闊而明晰的認識。而早期那些沒有收入仙人掌文庫、遠景叢刊那七八篇小說，被林海音女士譽爲並不比黃春明日後小說成就差，而且也相當成熟的，發表時間是一九六二—一九六七年間，除〈照鏡子〉發表於「台灣文藝」、〈小巴哈〉發表於「中央日報副刊」外（編者特別有一段按語：這一篇也是黃春明做學生的屏師時代習作，民國四十六年發表於新生報南部版，署名「黃春鳴」。民國五十一年三月二十四日重刊於中央日報副刊，本文是根據中央日報的原文印出的。）其餘〈城仔落車〉、〈北門街〉、〈玩火〉、〈兩萬年的歷史〉、〈把瓶子升上去〉、〈借個火〉等六篇皆先後發表於林海音主編的「聯合報副刊」。黃春明出生於民國二十八年，發表〈小巴哈〉時還是寂寞的十七歲的年紀。

一九七四年酷夏，也就是他的小說集「鑼」、「莎喲娜啦、再見」兩冊同時出版那年，黃春明在「中國時報人間副刊」發表散文，篇名爲〈屋頂上的番茄樹〉，提及有幾位朋友曾經勸他不要老寫那些鄉巴佬，也應該寫寫知識份子，但是那些穿西裝打領帶、戴眼鏡喝咖啡之流的學人、醫生、或企業精英，這些他認識的卻都沒有浮現寫作的腦海，而他日後想寫的長篇〈龍眼的季節〉的人物如鼓手紅鼻獅仔、喜喫死雞炒薑酒的姨婆、酷夏打赤膊的祖母……都湧擠著浮現。黃春明說：「想一想他們的生活環境，想一想他們生存的條件、再看看他們生命的意志力，就令我由衷的敬佩和感動。」他不相信自己寫不出知識份子的小說，但是想到那些讓人失望、洩氣的知識份子，如果能將那些小人物的作品寫成功的話，那麼永遠永遠，不管何時何地都會感動人的心靈的，黃春明這麼想這麼說。而「屋頂上的那一棵番茄樹在風裏搖動的時候」的那一段他的真實情節，不管識或不識、知或不知必忍不住放聲痛哭。那一幕真實的情節是這樣的：黃春明小學三年級有一天突然發現屋頂上長出番茄，就問祖父番茄爲什麼不長在田裏，祖父罵他傻瓜，反問他難道番茄想長在田裏就能長在田裏。黃春明仍疑惑不解，追問屋頂上沒有土，番茄如何能活下去，祖父嚴肅告訴他：「想活下去的話，管他土有多少！」不久，老師在美術課要學生畫「我的家」，黃春明就在房子的屋頂上畫一棵番茄樹，「比例上比房子都大，還長了紅紅的番茄。」他滿懷高興繳給老師並說那是番茄樹，老師啪地給他一記耳光，他摀著挨打的臉頰說自己看過屋頂上的番茄樹，啪地又給他另一記耳光，他小聲提防說他真的看過。老師更生氣，拉開他的手又要摑掌，他的鼻血流出了，腦海又浮現屋頂上的番茄樹，然後冷靜回答說：「我家的屋頂上就長了番茄樹。」老師才縮回半空的手，「騙鬼！屋頂上沒有土怎麼能活呢？騙鬼！」黃春明腦海浮現祖父那句當年他都不懂的話：「想活下去的話，就有辦法。」想起鄉親，想起知識份子，想起屋頂上番茄樹，黃春明對他們共同的宿命，在文章結尾是這樣寫的：「世界上，沒有一顆種子，有權選擇自己的土地。同樣的，也沒有一個人，有權選擇自己的膚色。」

卅年過去了，黃春明的長篇小說「龍眼的季節」卻始終沒有出現。與他同時活躍文壇的小說家，封筆的封筆，轉行的轉行。陳若曦自「尹縣長」出版後，雖也曾寫出幾篇類似「尹縣長」題材的小說，後來又漸行漸遠，而失去蹤影。白先勇自「台北人」出版後，也僅僅寫出〈骨灰〉、〈夜曲〉兩篇小說，多年來全心投入崑曲，近日才重拾早期──「紐約客」──系列，風格卻不可同日而語。更不幸的王禎和自「嫁粧一牛車」後，雖也出版「玫瑰玫瑰我愛你」、「人生歌王」等小說集，卻也沒有引起多少注目，終至因癌症而棄世，而陳映真自「第一件差事」、「將軍族」後，也曾寫出「山路」、「趙南棟」等小說，雖頗獲得相當的喝采，卻幾乎有十幾年沒有小說問世，近年才又寫出〈歸鄉〉、〈夜霧〉、〈忠孝公園〉等三篇小說。而黃春明不知是被生活所逼，抑是其他理由，曾經從事多種行業，多少人為他惋惜，而他的愛子黃國峻日後相當可能成為小說家，卻自戕英年早逝。雖然黃春明在一九九九年九月九日重陽節曾經出版老人系列的小說集「放生」，距離他的前作「我愛瑪莉」，相隔剛好整整廿年，雖然「放生」出版後短短四五年，就暢銷二三十版，可是風格面目卻都無法再見昔日的影子，而讓讀者更懷念他的早期小說集，更企盼他的長篇小說「龍眼的季節」早日問世。

陳映眞早期小說的死亡故事

一九七六年三月十四日，個人初爲人父十餘日。或許是因過程相當艱難而苦楚，突發奇想，才不自量力寫四五〇〇字左右的這篇〈陳映真早期小說的死亡故事〉。那時個人才屆而立年齡，尙在一省立高中任教。想想那幾乎是將近卅年前的舊事。個人永遠記得，當時曾將一篇人間小故事，題目爲「和尙爸爸」的短文，逐字逐句細讀，希望有人將短文改寫爲小說。今日個人仍舊記得有位家住民雄鄉姓洪的女學生幾乎將整本作文簿寫完，企圖心實讓人感動，那時她大約十六七歲，個人依舊記得她僅是平鋪直敘那則故事的情節，其他種種今日全無記憶。似乎是一九八一年，個人因緣際會認識陳映真，經過幾年的會晤來往，尤其他對所有朋友真摯的愛心，個人曾冒昧將那則人間小故事影印，希望他能依那則短文的情節寫成短篇小說，相信那情節真實性應該是相當的高，猶記得當時他只是微笑不語。廿幾年來，他對個人在健康與寫作的關注程度，絕非外人所能想像。也許個人這小小心願，他或許還記得，或許他早忘記。記得或忘記全不重要，兩人彼此會面或書信來往，一再提醒強調祈求他在未來歲月務必以「永遠的小說家」情懷，筆耕不輟，相信如此不僅是他個人不朽使命，更是對歷史篤實交待。今日檢視那篇將近卅年的幼稚舊作，感慨萬千不知從何說起。稿紙是那間高中校刊贈送作者，每張十二行，每行廿五字，每張稿紙三〇〇字。全部十五張，援引的〈我的弟弟康雄〉、〈鄉村的教師〉、〈死者〉、〈文書〉和〈淒慘的無言的嘴〉等篇小說全部收在一九七五年出版列爲遠景叢刊廿五的「將軍族」。陳映真的「將軍族」與同時出版的「第一件差事」以後，他先後發表「華盛頓大廈」系列有關跨國企業的小說如〈夜行貨車〉、〈上班族的一日〉、〈雲〉、〈萬商帝君〉等。除「夜行貨車」有較高的評價外，其餘似乎沒有引人矚目。而後涉及政治議題的〈鈴璫花〉、〈山路〉及中篇的〈趙南棟〉曾引起相當的迴響。尤其〈山路〉、〈鈴璫花〉兩篇短編小說，更被視爲難得一見的政治小說，讓人讚歎激賞不已。經過十餘年的沉潛，一九九九年後他又發表比〈鈴璫花〉、〈山路〉時代背景更近的政治小說如〈歸鄉〉、〈夜霧〉及中篇的〈忠孝公園〉。平心而論，讀者仍舊一致認爲〈鈴璫花〉、〈山路〉才是確實如磐石不移的陳映真本色的小說。他的全部早期小說都是遠景出版社發行，後來他創設人間出版社，在一九八八年曾印行「陳映真作品集」十五卷，前面五卷是他的所有發表過的小說。最近二〇〇一年，「陳映真小說集」並將近作〈歸鄉〉、〈夜霧〉、〈忠孝公園〉三篇納入結集爲六冊，洪範書店出版。拙文舊作「陳映真早期小說的死亡故事」援引的幾篇小說，今全收入洪範書店的「陳映真小說集一」（一九五九—

一九六四）的「我的弟弟康雄」裏。拙文援引他的原文恐怕不少於一〇〇〇字。故在後記裏曾這麼說：「爲展露陳映真的才華，敘述部分並儘量採用他的文字，不敢掠美，特誌於此。」數語。事隔將近卅年，從一九八一年在南鯤鯓舉辦的「鹽分地帶文藝營」初識他廿幾年來，承蒙他的厚愛不棄，乃至對個人健康的關注、閱讀寫作的提攜指點。今僅將舊作略爲潤飾，抄列於後，也算是棉薄的感謝。今日回想，舊作援引、敘述幾乎都是他的文字，如果不被指爲抄襲已屬萬幸。讀者如不苛責，就將這篇舊文視爲個人的作文習作可也。這篇舊文曾投給當時創刊不久的「中外文學」被退回沒採用，棄置至今。倒是在一九七九年另外一篇有關陳映真的評介——〈一則故事兩種寫法—以陳映真的「唐倩的喜劇」和七等生的「期待白馬而顯現唐倩」爲例〉的長文，發表於一九七九年二月出刊的「中外文學」七卷九期。而在一九八一年九月另有一篇〈試評陳映真的「第一件差事」〉發表於「台灣文藝」七十四期。兩篇評介陳映真小說的拙文，今並收入拙著「現代文學評論」（一九八三年二月東大圖書公司印行）。

陳映真曾自剖他的作品，在一九五九年到一九六五年是一個時期，一九六五年到一九六八年暫時停筆是另一個時期。而且認爲前期顯得憂悒、感傷、蒼白又帶苦悶。而這種慘綠的色調，因爲他的暫時停筆而結束。造成後期呈現比較明快、理智而有嘲諷的色彩。如果說前期有濃厚的自傳的筆調，但卻也有人認爲所有文學作品必須檢視整個主題，因爲不少作家類似自傳的描繪、並非全面的忠實而僅僅是或多或少，或晦或顯，隱隱約約的曲折反映暗示而已，這種自傳濃厚的色彩完全無法爲他的小說提出任何有社會脈絡可尋的情節。如果依陳映真自剖他的作品的粗略考察，收在「將軍族」的十一篇顯然是屬於前期的作品，而收在「第一件差事」裏的五篇，除〈兀自照耀著的太陽〉一篇外，其餘四篇毫無疑問全是後期的作品。而他不幸在一九六八年在應邀赴美參加國際寫作計劃前夕，因「民主台灣聯盟」案件被警備總部逮捕，偵查終結被判刑十年，而這也就是尉天驄在「將軍族」、「第一件差事」序文開首的第一句話：「陳映真有七年之久沒有作品發表了。」陳映真說他早期小說的衰竭、蒼白和憂悒的色調，是很安東．契訶夫式的。可是他自謙就表現的優異、深刻而論，當然遠遠不及契可夫。從劉紹銘發表在「中外文學」的論文〈愛情的故事——論陳映真的短篇小說〉後面附錄，可知陳映真還有幾篇小說沒有收輯在「將軍族」、「第一件差事」裏面。他的第一篇小說〈麵攤〉發表於一九五九年的「筆匯」，就是明顯的例子，當時他僅僅是廿一二歲的青年。陳映真出生於一九三七年，小說集介紹他是台北板橋市人。如果依「陳映真寫作年表」，他出生於竹南鎭而畢業於鶯歌國小。在目前比較受人矚目的省籍小說家，黃春明、王禎和、七等生、陳映真諸人的才華，作品的深度等彼此應該是不分軒輊的。他們的短篇小說，如黃春明的〈看海的日子〉、王禎和的〈嫁粧一牛車〉、七等生的〈我愛黑眼珠〉和陳映真的〈第一件差事〉等篇，將來編寫台灣文學史，必定不會忽略他們應有的歷史地位。他們四人除七等生（本名劉武雄，苗栗通霄人）文體比較怪異晦澀，被稱爲「小兒麻痺」的異端，似乎仍還有不少的誤解、爭議外，一般常見的報章雜誌對黃春明、王禎和、七等生三人的討論評介屢見不鮮，可是關於陳映真小說的相關部份，除前面提及劉紹銘那篇外，似乎僅僅只有尉天驄的〈不是所有的人都活在黑暗裏〉和許南村（今知即陳映真本人使用的筆名）的〈試論陳映真〉兩篇而已，這種現象顯然相當不公，且讓人十分納悶。

陳映真本名陳永善，陳映真是他不幸早夭的孿生兄弟。他的父親那一代出身當時那種比較敗落的農村家庭。陳映真過繼給他的伯父。一九五八年，他的養父不幸大去，家道突然中衰。本來他的父親那一代尙靠著本身的刻苦自修，力爭上游而逐漸向市鎭遊移而成爲知識份子，這也許就是陳映真一再強調，他是「市鎭小知識份子的作家」的背景。尉天驄說陳映真曾寫出那些「上流社會人物的死亡」的理由。陳映真早期作品那種挫折、敗北和困辱的情緒，造成那種蒼白慘綠的色調，基本上便是因爲家道中衰在他的青少年階段深深留下的烙印。今日檢視他的「將軍族」、「第一件差事」兩本小說集，在描繪死亡的場面幾乎都或多或少有著墨行文，即使在一九六五年到一九六八年，也就是收在「第一件差事」濃厚的嘲諷和現實主義，理智而冷靜且客觀的分析，他的筆觸似乎仍沒有擺脫開死亡的面對。就如「將軍族」相愛無法結合的三角臉、小瘦丫頭兒兩人的殉情、〈兀自照耀著的太陽〉裏罹患絕症的小淳、〈唐倩的喜劇〉裏發狂自殺的羅仲其、〈六月裏的玫瑰花〉爲國捐軀的越戰小兵少尉巴爾奈．E．威廉斯和〈第一件差事〉憂鬱厭世的胡心保都是死亡，不管是戰爭、疾病或是自殺。即使像〈最後的夏日〉沒有死亡，而像裴海東、鄭介禾、鄧銘光乃至於李玉英那些角色，亦僅僅是在新舊時代交替被時光遺忘苟延殘喘的人物。個人不揣譾陋，擬就死亡這個角度來蠡測陳映真早期小說創作才華和他的作品深度，除表示對陳映真的高度尊敬，也算對劉紹銘〈愛情的故事—論陳映真的短篇小說〉的狗尾續貂。

〈我的弟弟康雄〉不妨視爲少女的內心獨白。她的弟弟康雄是個細瘦蒼白而嚮往無政府主義（即「安那其」**Anaarchist**）的虛無主義幻想者，在那個世界裏認爲富裕是殘殺細緻人生的罪魁禍首，認爲貧窮是人類本身最大的罪惡，而一般的虛無主義的字典本就沒有上帝的名字，更遑論有什麼原罪。而她的弟弟康雄著重的便是針對世俗僞善的探索，從而歸納出一個人應該全心全心擺脫貧困窘境就像擺脫犯罪的情懷。基於這種理念，她的弟弟康雄在他的十八年激進的歲月便不斷虛構建立許多的貧民醫院、學校和孤兒院等類似烏托邦的世界。而更出乎意料的在某一個暑假爲籌措學費，在他賃居的公寓倉庫與「媽媽一般的婦人」主婦發生不倫的戀情乃至失去他的童貞。在長期自責、自咒、煎熬的痛苦而最後終於自戕。陳映真如此描繪那種自戕的場面：「我的弟弟康雄一手垂在地板上，一手撫著胸，把頭舒適地擱在大枕頭上。面色蒼白，但安詳得可愛。雪白的襯衫上染著一些大約是嘔吐的血。」其實就場面而論，陳映真處理〈我的弟弟康雄〉寂寞葬儀的場面，那段如訴如泣的散文抒情般的描繪才詫異陳映真僅僅廿三、四歲竟然有如此的才華：「平陽崗裏我們連半個遠親都沒有。一個粗製的棺木後的行列，只有一個年邁的老人和一個不倫不類的女孩子。沒有人哭泣。這個卑屈的行列穿過平陽崗的街道，穿過鎮郊的荒野。葬禮以後的墳地上留下兩個對坐的父女，在秋天的夕陽下拉著孤伶伶的影子。曠野裏開滿了一片白綿綿的蘆花，烏鴉像箭一般的刺穿紫灰色的天空。」

〈鄉村的教師〉刻劃一幅台灣知識份子在光復初期對未來的中國期許幻滅的結局，作品屬於半自傳筆調。男主角是根福嫂那個在二次大戰結束後一年才從婆羅洲歸來，矮小黝黑，森黑森黑的鬍髭爬滿尖削頰頜而不健康兒子吳錦翔。當依山的大湖鄉出征青年幾乎全在婆羅洲被殲滅後的五年，他卻帶回那裏的戰爭、硝煙、海岸陽光、森林瘧疾。這些戰後的陰影始終縈繞他的腦際，或許是束縛於傳統自我關閉的枷鎖，這些濃濃夢魘卻重重層層堆積在他的心海。或許是從南太平洋歸來對戰爭的幻滅，承受道德與良心的驅迫長期所醞釀。雖然吳錦翔有小知識份子滿懷的熱情，又具有一顆公正執拗的良心。那時他僅僅廿六歲，殷切地想掙扎破除根深蒂固陋俗傳統枷鎖，承擔改革自己鄉土的重責大任。他希望透過教育，讓下一代也像自己這樣，做一個公正、執拗而有良心的人，然後將要改革自己鄉土的重責大任承擔下來。面對十七個黝黑學童，一群瞪著死板的眼睛而無生氣的學童，他很想將滿懷的善意和誠懇傳達給他們，卻無法找到恰當的語言，藉用手勢，甚至走下講台，縱然自己眼睛如燃燒的焦灼，那些學童依然是顯得相當侷促，仍舊是毫無生氣的。就在吳錦翔回來第二年的春天，本島的騷動和內地的動亂觸角也漸漸漫延伸到他們寂寞山村來。原本漸趨平息的心海，在村民誇大喧染談論新的激情議題，讓他內心逐漸醞釀混沌矇矓的感覺。過去他曾努力用心思索中國愚蠢而不安的那種本質，而現在這愚蠢而不安卻成為中國存在的理由，他整日閱讀「像一葉秋海棠」的中國地圖。當為知識份子，吳錦翔當然沒有一般村民那種根深蒂固的省籍情結，除血緣親切的情感外，他卻感到中國人那種「病窮而骯髒的、安命而且愚蠢的、倨傲而和善的、容忍但又執著」的悲哀。雖然這種悲哀是矇矓而曖昧的，卻慢慢浮現出他的那股強烈的愛國情懷亦不過是一種家族（中國式）的血緣感情。終至於為他的懶惰，依賴，空想的性格，無非僅是空中樓閣的英雄主義，而逐漸頹然無助。過卅歲後的吳錦翔便墮落了，最後墮落到連他個人生活都懶於料理，如堅持不娶就使他的母親根福嫂傷心。偶爾看場便宜電影，順便租回幾本日文雜誌，讀津津有味的通俗小說，聊當為排遣。另外的嗜好就是可責的喝酒。而就在他的學生第一個應召入伍的夏天的席筵，喝一大瓶一大瓶土米酒，燈光下人人興奮臉紅，吳錦翔強瞪著眼：「人肉鹹鹹的，能吃麼？」又細聲詢問老年人：「人肉鹹鹹的啦，豈是能吃的嗎！」老年人說：「人肉是鹹的，那能吃呢？」他還懶散笑著說在婆羅洲他就吃過。那時「沒有東西，就吃人肉。誰都不敢睡覺，怕睡了就被殺了。」他說人肉鹹鹹是真的，而且還冒泡，甚至誇張如拳頭大的人心切成一條一條裝在軍用飯盒，他都吃過。而且「放在火上，那心就往上跳，一尺多高。」然後趕緊將它蓋上，卻可聽見「叮咚叮咚地跳個不停，跳個不停。很久，叮咚叮咚的。」吳錦翔突然用力摔下筷子，怒聲對著那位披著紅緞應召入伍的學生，然後就像小兒一般哼哼哀哀的哭。吳錦翔這件吃人肉人心的故事立刻傳遍整個山村，到處都以異樣的眼色對他，在他背後竊竊耳語，連課堂的學童都用死屍的眼睛盯他，他不停冒汗，縱然夏天的山風烘烘地吹，他揩汗，汗仍舊不停的冒。「南方的記憶，袍襗的血和屍體，以及心肌的叮咚叮咚的聲音」一直在他的幻覺盤旋不停，而且又愈來愈尖銳。吳錦翔一天比一天虛弱，不到一個月，他就變得瘦削而且蒼白，又不到一個半月，根福嫂竟然發現他的兒子割腕自殺。陳映真如此描繪那種自戕的場面：「左右伸張的瘦手下都流著一大灘的血。割破靜脈的傷口倒是十分乾淨的。白色而有些透明的那種切得不規則的肌肉，有些像新鮮的旗魚肉。眼睛張著。門牙緊緊地咬著下嘴唇，襯著錯雜的鬍髭、頭髮和眉毛。無血液白臘一般的臉上，卻顯著一種不可思議的深深的懷疑的顏色。」

〈死者〉標題就明白突顯死亡。可是與前後的小說比較，在陳映真作品描繪死亡的筆調顯然比較輕淡的。這篇小說似乎在疾病與風俗二者有相當濃厚的筆墨。林鐘雄是個招租著舊影片在東北台灣幾個十鎮巡迴放映的人，年紀輕輕的，明年秋天就要入伍。接獲他的外祖凶耗從宜蘭趕到桃園鎮郊。他的外祖活過七十五歲生發伯老年孤獨可憐，十年兩個兒子，小的死於水腫，大的死時「也是一個腫腫的身體擠進棺材裏」，醫生說是肝癌，他的母親也是死於這種病。林鐘雄慶幸自己的血液沒有「他家裏的毛病」的遺傳。即使他的外祖活過古稀年紀，臨終時「那一雙水腫的腳，漲得那穿布鞋的腳盤顯得十分笨重。」至於林鐘雄故鄉好淫怪異的敗德風俗，綿延幾代，私通幾乎是家常便飯，沒有那一個父親能確信兒女都出於自己，造成上一代臨終必須叮嚀吩咐下一代千萬不要做讓兒女蒙羞那種難看的事。就像他的外婆，不顧二男一女，私逃到鄰村，最後投澗而死。他的二妗也和後生農夫有曖昧關係，甚至他的母親都有「許多的男人」。林鐘雄相當懷疑這種怪異的敗德風俗，恐怕不是純粹出於好淫的需要，因爲村民相當賣力勞苦，而仍赤貧，僅能歸咎於經濟條件的結果，或是對封建婚姻的反抗，不然連他的二妗女兒秀子，素色洋裝扮相，他就一眼斷定她必定是「那種大部分出鄉的少女，在都市上所能找到的唯一的悲慘的職業。」拋棄疾病與風俗二者，陳映真藉著林鐘雄二妗的話：「你母親怕也是這種病呢……伊也是吐了紅死了。同你大舅一樣。你二舅則是一程程的拉了血去的……」然後描繪林鐘雄母親臨終嘔血的場面：「母親強壯如男人的手，緊緊地抱著一個老舊而敲撞得變了形的鋁臉盆，一大口一大口地吐著血，一雙眼睛死死地盯著冒波的血水，等待著下一個嘔吐。直到牙床發僵，血還不住地從齒縫裡溢了出來。」

〈文書〉是陳映真早期小說情節最撲朔迷離、曖昧晦澀作品，也是他對死亡故事著墨最濃的一篇。小說從頭到尾出現那隻幼小鬼綠的眼光、鼠色的貓。而大約十歲那一年，牠便將主人翁安某的靈魂噬住、嗅去。〈文書〉的寫作形式亦相當罕見，分公文、報告、自白書、診斷說明書。開頭的公文除年月日、發文官銜外，僅僅寥寥三行一般公文格式文字，結尾的診斷說明書，竟無一字而從略。報告則是承接前面的公文，交待〈文書〉主人翁安某出身、經歷、罹病、犯案的整過過程，而他的自白書便是正文。安某是舊軍閥某幕僚後裔，他家幾代書香，而且又精於兵法謀略。他的父親曾先後當人幕僚，卻始終不很得意，死後家道中落。他的大哥尙守住祖業，而他少不更事，便離開故鄉到南方，雖順利讀完中學，卻始終無法考取大學，蹉跎多年，深覺無顏返鄉，便悄悄從軍，那時正逢全國抗戰。他忍受軍旅種種苦楚，逐漸擺脫富裕人家子弟的癖性，晉陞淮尉那年，請假回家，萬料不到，家人卻頗以他從軍爲恥。安某退役後，辛勤創業獨力經營紗廠，娶妻楊珠美，家庭生活幸福美滿，爲鄰里左右羨慕。而且安某平日爲人信實敬業，忠厚勤懇。他竟弒妻或許是因勞碌終年，致使精神異常。因爲案發那夜「鄰人破門而入，見安案坐地不語良久，繼而哭笑無常，又繼則問而不答。」而案後偵訊期間，則「時而清醒與常人無異，時而發病語無倫次。」雖有採證語錄口供卻多「譫語」，陳述多「荒謬妄誕」，言語多「鬼魂神祕」。安某十歲那一年，聽他家男僕老秦講說爺爺安師長的過去，曾派他去收稅繳糧，沒想到十年後的稅全繳給敵方團長。安師長一句話：「五天內來取稅，收不上便槍斃你們這些老百姓。」等到期限一到，「整個村莊的人都逃個精光，一隻麻雀都沒剩下。」後來整個村莊大大小小在逃亡的路上又不知碰到那方兵馬，一個也沒留全被殺光。當時「那條路臭了好多月，都沒有人通行。」也就是在那個時刻，他看見他家女傭馮沂嫂「赫然吊在橫樑上，微微地搖擺著。」而那隻翠綠眼睛鼠色的貓，就伏在地上注視他。而從男僕老秦的敘述獲知他的爺爺安師長的過去，安某的排長關胖子正是他爺爺安師長的部屬，過去安師長的部屬曾經將關胖子左胸割成窟窿下酒。自從得知安某是安師長的後裔，冷酷惡毒苦刑凌辱，拳頭腳踢的鞭笞便不斷加在他的身上。於是在某次深夜稀有奇襲，關胖子竟然栽倒在他的亂槍射程。陳映真如此描繪那種場面：「他的腹部有一排敵人子彈的入口，頗乾淨地收縮著。」但是「他的右肺上有一個子彈的出口，很是燦爛地開著血和肉的花朵。」而那隻鬼綠的眼光鼠色的貓便如煙雲一般逃竄，一聲繼一聲長嘯而漸去漸遠。許多許多的歲月又過去，安某退役藉著有力同鄉的援引，終於開設小型紗廠，而過去軍旅倥傯生涯始終在買賣的愛情尋求滿足。也因他一向惡戲對女性的眼光，除色慾以外，他便引誘紗廠的女工，而娶楊珠美爲妻。沒想到婚後某個夜晚，她竟萬般憐愛懷抱一隻鼠色的貓。眼睛竟然亦是如此翠綠。牠來她家的第二天清晨，她的哥哥便被槍殺而死在監獄裏，讓安某又勾起一段相當遼遠的記憶，刑場執法的記憶。刑場當時亦是滿天細碎星斗，高高蘆草在晨風柔美搖曳。那個死囚年少幼稚純潔彷彿有如一個「慘淡的尼姑」，臨刑卻拒絕用布蒙眼。陳映真描繪刑場正法的畫面：「有些死囚開始嘶喊著口號，但他只是那樣沉默地，如處子一般地站立著。……便微斜著眼去看遠處的沙灘，便那樣簡潔地應聲而倒，好像斷了線的傀儡，好像從來就不曾有過生命的土塊那樣地向前崩落。他只是那樣不沈重地仆倒下來罷了。

連最微小的掙扎都沒有過的。」楊珠美因爲有鼠色的貓陪伴，日子逐漸樂趣豐盈煥發，而安某卻日漸憂慮恐懼，絕望苦惱，枯萎憔悴，懷疑自己豈非就是槍殺她的哥哥的兇手。〈文書〉故事結尾的高潮場面，陳映真是如此描繪：「回到臥室裡，赫然的竟又是那少年站在我們的床邊。」安某一時心悸，從茶几的抽屜取出左輪對著那少年發射。「少年也是那樣簡潔地仆落在床下，不料卻成了關胖子的伏臥的死屍。」安某於是「又朝著胖子連發兩槍，槍彈打翻了他的身體，忽然又懸掛在半空裡了，馮沂嫂背著我輕輕地動盪著伊的影子。」安某於是不停發射，直到彈盡。陳映真在〈文書〉結束是這樣寫的：「槍聲過後，仍復歸於夜的寂靜。不見了少年，不見了馮沂嫂的擺動，也不見了關胖子的開花的胸膛。一床淋漓的血，僵臥著那鼠色的貓。」而安某的妻子楊珠美竟然也「仰臥在血泊裡。伊彎著一隻白皙的腿股，右胸染滿了鮮血，膠貼出伊那一小手把的乳房。」

〈那淒慘的無言的嘴〉的敘述者也是一個精神病患，即將痊癒出院。陳映真描寫醫院那些輕度精神病患全聚在草坪晒太陽的場面：「一張張蒼白的臉上，一雙雙無告的眼神裡，都塗敷著冷澈得很的悲苦。」那位第一人稱敘述著心想不久就要離開，爲排遣內心那股難耐的鬱悶，想到醫院附近青蔥蔗田看看，沿著糖廠小火車軌間隔不一的枕木踏著走著，沒想到在倉庫那邊卻有人被殺。一個企圖逃跑的雛妓被賣她的人殺死。那時夕陽西斜，圍觀驗屍的群眾「彷彿觀看支解牲畜那樣漠然。」陳映真描寫那被殺的雛妓的背部，「呈著臘黃的死色，而在脊樑的右邊分散著三個烏黑的淤凝的血塊。」將俯臥屍體翻仰開後才發現更多小淤血，陳映真描繪那時的場面：「初看彷彿是一些蒼蠅靜靜地停著，然而每一個斑點都是一個鑿孔。剪開胸衣，露出一對僵硬小小的乳房。有一隻乳房上很乾淨開了一個小鑿口，甚至血水也沒有。伊的臉削瘦，嘴上掛著含血的唾液，看不出來是娟好或醜陋的臉，蓋滿了死亡的顏色，頭髮因沾滿了泥土，顯得很是齷齪。」而後這位精神病患擠出人群，頗爲喪神茫然，這是他畢生第一次見到異性裸體，而且那對僵硬小小的乳房「幾乎有點像隔夜的風乾的饅頭。」回到醫院，天氣稍涼，慢慢走在草坪，他忽然想起莎士比亞名劇〈朱利．該撒〉裏安東尼說的話：「我讓你們看看親愛的該撒的刀傷，一個個都是淒慘、無言的嘴。」而在第二天例行的檢查診斷，他對醫生說他做一場好玩無聊的夢，可是〈淒慘的無言的嘴〉最後一句卻是「我一直記不清我確乎曾否做了那一場噩夢。」他的夢境是這樣的：在一個沒有一絲陽光的黑房裡，每樣東西都生長長的霉，有個女人躺在他的前面，身體卻有許多的嘴，那些嘴說：「打開窗子，讓陽光進來罷！」這是歌德臨終說的話。「後來有一個羅馬的勇士，一劍劃破了黑暗，陽光像一股金黃的箭射進來。所有的霉菌都枯死了，蛤蟆、水蛭、蝙蝠枯死了，我也枯死了。」

目前文壇比較活躍的小說家，處理死亡場面的優秀文字頗罕見及。個人印象裏，似乎只有白先勇的〈玉卿嫂〉值得大力推許，想想白先勇才幾歲竟然能寫出那樣的小說。〈玉卿嫂〉

是一篇傳統直敘手法的小說（歐陽子序語），故事結尾，玉卿嫂因為她的愛人慶生移情別戀那唱戲的金燕飛，而手執短刀刺殺慶生後，自己再殉情。白先勇描繪死亡的場面是這樣的：「慶生和玉卿嫂都躺在地上，慶生仰臥著，喉嚨有一個杯口那麼寬的窟窿，紫紅色的血凝成塊子了。灰色的襖子大大小小沁著好多血點，玉卿嫂伏在慶生身上，胸口插著一把短刀，鮮血還不住的一滴一滴流到慶生的胸前，月白的衣裳染紅了一大片。」

劉紹銘說：「陳映真是個真情流露的作家，陳映真是個充滿愛心的作家。」又說：「他的熱情擁抱多於冷酷分析。」而一想到文壇竟對他如此漠視，就讓人扼腕不已。陳映真封筆七年了，傳言他曾經因政治問題誤入歧途而陷獄，又傳言他最近「遠行歸來」出獄。坊間一般常見的小說集，他竟然都榜上無名，想來理由應該是可以理解的。有人讚譽陳映真為「海峽兩岸第一人」。可是他的小說集「將軍族」甫出版就被查禁，據說是影射或牽涉政治問題云云，不管真象到底如何，但是像他的小說集「第一件差事」絕對沒有政治問題的顧慮，篇篇皆是值得我們咀嚼、重估的。

可幸的，陳映真還年輕。

六五、三、十四

後記：為展露陳映真的才華，敘述部份亦儘量採用他的文字，不敢掠美，特誌於此。

書海浮生錄

如果記憶無訛的話，曾有人負笈異域深造；不知那時尙無飛機，抑是經濟緣故，一般遊學僅能搭乘客輪。想想兩地相距數千萬里，費時長達經年，仕紳殷商漫長旅程有不少娛樂聊供排遣，似無大礙。而那些心裡只想早日到達彼岸，朝暮與書爲伴的知識份子，爲排遣旅途寂寥，除行李外有人隨身就僅僅攜帶一本「韋氏大字典」，有人隨身就僅僅攜帶一部「昭明文選」。至於到達彼岸，他們有沒有將「韋氏大字典」、抑是「昭明文選」逐字逐句唸完或背誦，只有當事人心裡有數。但是他們那種矻矻苦讀專注好學，對他們日後贏得眾譽皆碑的激賞，從來沒有讓人懷疑過。

說來實在讓人難以置信，個人出身中文系，早期醉心文學批評，而後竟轉向古籍的校釋、今註今譯。而個人又不諳外文，傳統古籍的閱讀自然沒有問題，外文的文學批評就僅能仰賴他人的翻譯。明年將屆耳順，三四十年來，借書、買書、藏書、讀書、教書、寫書等五味雜陳的感傷，真的不知要從那裡開始言起。並非東施效顰，個人一九八四年秋天首度出國，除行李外，身邊僅僅攜帶一本梁實秋前輩主編袖珍本的「最新英漢辭典」（一九八一年五月修訂版，道林紙本定價壹佰陸拾伍元）。行程是韓國轉道日本。夜宿漢城華克山莊，平生嗜賭，那次不知爲何緣故竟然破例而惡意缺席。探視一位因爲政治因素無法返抵家國日本親戚，任教東京某大學，記得當時曾逛銀座某大書市，卻沒有買到任何一本書，因爲書架排列全是日本原典，沒有漢籍。那次旅程前後六天，不管是從台赴韓，抑是從韓赴日的飛機，客輪液渡瀨戶內海，個人幾乎是逐字逐句逐頁溜覽那本「最新英漢辭典」。返抵國門，厚達千餘頁的辭典，少說也唸完七八百頁。第二度出國是一九八九年也是秋天，行程是經夏威夷，轉機遠赴美西，那次旅程前後長達十四天。除行李外，身邊也僅僅攜帶一本清朝樸學大師王念孫的「廣雅疏證」（一九七一年十月初版，精裝本定價壹佰元）。全書僅四百頁左右，蠅頭小字，十卷皆分上下，那次旅程唸完前半部比較重要的釋詁、譯言、釋訓等二百頁左右。那次就沒有錯過良機，遠赴賭城拉斯維加試試手氣，猶記得當時贏得廿幾塊美金。倒是有件購書經驗，雖事隔十幾年卻永難忘懷。那時兩岸剛是解嚴前後，彼岸出版品，除走私外，市坊尚未流傳，一般都必須透過特別管道才能輾轉到手。當時央求一位在南加大深造的近親陪同在聖地亞哥的某間書坊，買到兩部彼岸北京中華書局一九八七年分別爲三月、十月出版的「法言義疏」和「春秋左傳詁」。兩部皆是平裝本，皆分上下冊，前者定價四點一元，後者定價五點七五元。當時人民幣換算新台幣是不是十倍左右，今日已無記憶，倒是有件異想天開的趣事，迄今仍縈懷不已。當時爲恐返抵國門，遭受沒收，於是將兩部書前的版權頁撕下，夾在其他行李，安然無事，返家後再分別黏上。事隔十幾年，每次看到或翻閱那兩部書，往事便一幕一幕浮現，那種喜悅況味，絕非外人可以領略一二的。

兩岸解嚴後，彼岸的出版品就不必再閃躲畏縮，而直接可從專售的書坊，如結構群、明目書社、問津堂等處公然購得。兩岸出版品，不管是繁體簡體、紙張印刷、排版裝訂，乃至書價昂貴低廉，讀者心知肚明。個人擬就長期接觸傳統古籍的點點滴滴，想到什麼就寫什麼，如果章法雜蕪冗長尚乞方家寬宥。先說「十三經注疏」，據說五十年代一般中文研究所皆將標點斷句「十三經注疏」列爲最基本的課程。當時藝文印書館便有精裝八冊四百十六卷附阮元撰的校勘記，所謂「阮刻十三經注疏」。不要說研究生，當時不少中文系學子書架都排列齊整厚厚林立。當然不應懷疑研究生不能標點斷句「十三經注疏」。可是經過六十、七十、八十、九十年代，直至二〇〇一年六月新文豐出版公司才發行由國立編譯館主編厚厚廿巨冊分段標點的「十三經注疏」，定價每部大約貳萬元。每冊皆在六七百頁不等，經文注疏天文數字不難想見。藝文版「十三經注疏」初版每部定價多少，今難確知。翻印多次，今日每部定價爲三千六百元，仍舊沒有分段標點。商務印書館的萬有文庫薈要、國學基本叢書有沒有分段標點的「十三經注疏」，個人手頭有其他多種分段標點的古籍，唯缺「十三經注疏」，屬於亦無從確知實情。個人使用參攷的是中華書局一九七〇年前後出版，平裝本將近廿冊，屬於四部備要的僅有兩漢魏晉的古注，而沒有唐宋的疏。標點分段眉目清晰，頗便閱讀。淺見以爲今日閱讀古籍訓練一代不如一代是誰都無法否認的事實，再多的怨尤都無濟於事。就以「十三經注疏」來說，如果一般社會人士有興趣，抑是想比較深入的了解，因爲訓詁基礎薄弱，不妨透過坊間一般的今註今譯，對照經文，逐字逐句逐段逐章慢慢勿躁細讀，相信假以時日，多少都能進入堂奧。至於有志從事「十三經注疏」研究，曾經有正規訓詁調教的必須精讀兩漢魏晉的古注，而古注有少數不確或值得商榷，不妨透過清朝樸學大師如顧炎武、王念孫、俞樾、王引之、孫詒讓等相關著作如「日知錄」、「讀書雜誌」、「古書疑義舉例」、「經義述聞」、「札迻」等等。時賢如屈萬里、王夢鷗、王叔岷諸人有關論文專著，浸淫涵詠，相信最後畢竟能走出自己的路。

提及標點斷句，讓個人想起幾件相關的巧合。就像屈萬里的「詩經選注」、「詩經釋義」、「詩經詮釋」等書，對「詩經」的解釋相當精確，學術界有口皆碑。他認爲目前坊間對「詩經」的訓詁，最有成績的要推胡承珙的「毛詩後箋」、陳奐的「詩毛氏傳疏」和馬瑞辰的「毛詩傳箋通釋」等三本著作，且認爲後者是最好的一部。個人手頭沒有「毛詩後箋」詳情無法得知。而「詩毛氏傳疏」個人手頭有部一九六八年學生書局印行定價壹佰元，沒有標點斷句。個人在一九八八年利用商務印書館的萬有文庫薈要，彼此對照才逐字逐句標點。如果記憶無訛的話，中華書局、廣文書局的「詩毛氏傳疏」截至目前仍舊只是影印，全無標點斷句。而「毛詩傳箋通釋」個人身邊擁有爲中華書局一九六八年印行，平裝本三冊定價貳佰壹拾元，字體頗大適於閱讀，可惜亦無標點斷句。廣文書局似乎亦有影印，字體奇小，也無標點斷句。如果推測無誤的話，彼岸該書應有標點斷句，幾次透過彼岸學者或是拜託親友旅遊順便尋購，可惜迄今皆無所獲。事隔廿幾年尚無法將「毛詩傳箋通釋」從頭到尾細讀標點斷句一番，思來悵然神傷。其次再就許慎的「說文解字」來說，清朝有號稱研究「說文」的四大名家，即段玉裁的「說文解字注」、朱駿聲的「說文通訓定聲」、王筠的「說文釋例」和桂馥的「說文義證」。猶記得一九六六年、個人就讀中文系二年級，文字學課程教授便以藝文印書館「說文解字注」爲教科書，事隔多年，坊間仍舊是那部沒有斷句標點，只是偶而再增附像前輩魯實先的「說文正補」，或是清儒曾運乾韻部分類而已。個人也是在一九八八年才利用商務印書館的萬有文庫薈要有標點斷句的「說文解字注」逐字逐句閱畢，想想時間竟然差距廿二年。世界書局有王筠的「說文釋例」，字體排版雖讓人不甚滿意，卻有標點斷句，讀者尚可接受。至於桂馥的「說文義證」個人亦不時在坊間尋購，目前手頭仍無該書，詳情如何亦無從知悉。倒是朱駿聲的「說文通訓定聲」的浮沈滄桑，有必要詳細敘述原委。

朱駿聲的「說文通訓定聲」應該也是五十年代藝文印書館就影印出版，有精裝本的十六開一巨冊、廿四開八小冊兩種，個人購買的是後者，初版一九六六年七月，定價伍佰陸拾元。手頭的「說文通訓定聲」是一九六六年初版仍舊沒有標點斷句，一九八九年四月以壹仟元購得。該書前六冊是正文，約四仟頁。七八兩冊是附錄的「說雅」、「年譜」、「索引」等，總計應該超過伍仟頁。如果就「說文解字注」和「說文通訓定聲」兩書比較，淺見以爲前者以廣度稱勝，後者以深度見長。如果中文系初學自以前書爲主，至於深入研究，後書必不可廢。可惜「說文通訓定聲」的命運，竟然比「十三經注疏」更悲慘。經過六十、七十、八十、九十年代，個人才收到專售彼岸出版品的明目書社購得一九八四年六月初版精裝本十六開一巨冊，字體與藝文印書館十六開的一樣大小，可喜的因爲有標點斷句，字體細小實在不便閱讀。該書定價人民幣壹佰貳拾參元（連運費郵資個人花費約新台幣玖佰元）。個人再請人放大影印裝訂成平裝兩巨冊，雖然爲「說文通訓定聲」前後耗時十幾年，花費將近參仟元。但是今日放在書架，個人隨時需要隨時取來閱讀參考，那種會心微笑，恐怕只有書痴才能體會。

最後再來談談與個人最有切身關係的「昭明文選」。廿幾年來，有感於沒有一部比較適合當爲中文系所「昭明文選」的教科書，曾在廿年前抄錄「昭明文選」的原文，摘錄李善注有助了解原文的部份。其間因爲個人負責校務行政事雜心煩，前後擱置十五六年，雖然彼岸已有幾部多人合作的「昭明文選」今註今譯相續問世，對一般有志進修的社會人士皆有相當的裨益，可是對中文系所有心深入研究探討，顯然仍有相當的囿限。而廿年來兩岸尚未有「昭明文選校釋」有關著作出現，相信短期間亦難有出現的可能，個人才不自量力擬定在二〇〇六年完成「昭明文選校釋」的初稿。因爲這件心願，才勾起有關「昭明文選」目前坊間較爲通行的幾種版本的問題。一般都知道「昭明文選」有唐朝的李善注和李善與五臣（李周翰、呂向、張銑、劉良、呂延濟）相雜的六臣注，一般都以李善注爲主。李善注的「昭明文選」又與「三國志」的裴松之注、「世說新語」劉孝標注和「水經」酈道元注合稱四大名注。個人手邊最早的也是藝文印書館一九六七年精裝本十六開一巨冊的「文選」李善注，定價壹佰元，目前韋編斷裂，雖曾參照別種版本斷斷續續標點，擱在書架僅當紀念。李善注的「文選」最早有標點斷句的，應是一九七五年由河洛圖書出版社影印彼岸初版精裝本廿四開兩巨本，定價參佰伍拾元。其次華正書局於二〇〇〇年將藝文印書館同樣的版本標點斷句，附錄有「胡刻本與尤刻本異文」、「文選篇目及著者索引」等出版，定價捌佰捌拾元。個人今日使用的「昭明文選」是五南圖書出版社重新排版精裝本十六開兩巨冊，而且將「胡氏攷異」十卷，全部分卷分篇列在原文李善注的下方，對於讀書閱讀參考相當簡便，定價陸佰陸拾元。而有關六臣注的「昭明文選」，廣文書局有平裝本兩冊，沒有標點斷句，字體又奇細，似乎並不流行。個人手頭使用的是漢京文化出版事業公司一九八〇年七月卅一日發行，古迂書院「增補六臣注文選」精裝本十六開一巨冊，書後還附有掃葉山房發行的「玉台新詠」，定價肆佰伍拾元，原文只有少數標點，注則全沒有標點斷句。個人閱讀彼岸多種「昭明文選」今註今譯，得知彼岸的中華書局多年前就有「增補六臣注文選」問世，有標點斷句，截至目前，坊間尚未發見，讓人相當納悶。另外個人手頭尚有一部爲彼岸多種「昭明文選」今註今譯多次引及的學海書局一九八一年九月再版于光華的「評注昭明文選」精裝本廿四開一巨冊，定價參佰元。個人不厭其煩抄錄這幾種版本的來龍去脈，無非是喟歎我們學術界對「昭明文選」的關注，比起彼岸實在冷漠的可怕。所謂「禮失求諸野」，日本著名漢學家岡村繁在彼岸上海古籍出版社發行他的全集第二卷「文選之研究」曾經說過一段相當精闢發人深省的話。他說：「要使學生養成正確閱讀中國古典作品的習慣，具備恰切處理中國古典文獻資料的能力，掌握經史子集等範圍廣泛的古典知識，並且能練就研究中國古典文學的必要的基本工夫，最有效的方法莫過於仔細考察並透徹研讀『文選』正文及其李善注。」李善注「文選」被公認「援引賅博，經史傳注，靡不兼綜，又旁通倉雅訓詁及梵釋諸書。」可是「唐書」卻認為李善注「文選」有釋事忘義的弊病。五臣更詆毀他「忽發章句，是徵載籍，述作之由，何嘗措翰。」個人多年來為完成「昭明文選校釋」，除精心細讀李善注外，兼及增補的六臣注。或是個人無知短視，我們的學術界目前似乎尚猶未出現足供援引的專書，書架放有整排卅二冊精裝本卅二開一九六六年廣文書局發行，選取有清以來學者專著，號稱「凡有關名理、史實、章句、訓詁、考異、箋證諸端，皆可得而詳。」十種編為「選學叢著」。這十種分別為汪師韓的「文選理學權輿」、孫志祖的「文選理學權輿補」、「文選攷異」和「文選李注補正」、張雲璈的「選學膠言」、朱蘭坡的「文選集釋」、胡紹煐的「文選箋證」、梁章鉅的「文選旁證」、許巽行的「文選筆記」及高步瀛的「文選李注義疏」。不管這部「選學叢書」到底有什麼價值，可是想想從一九六六年到今天，又經過將近四十年，我們的學術界竟然在「昭明文選」的研究似乎沒有多少成績，實讓人汗顏與扼腕。偶而望一望窗外飄浮的白雲，除苦笑外，真的不知要說些什麼？

回想卅年以前就讀中文系四年級有一門文學批評課程，當時師生教學的一切，今日全無依稀記得，倒是不少相關的文學批評史，如郭紹虞、羅根澤等名家幾乎佔滿整個書架。而與文學批評相關的專著如「文心雕龍」、「詩品」、「文鏡祕府論」等等不同的箋註考釋，坊間可見的沒經篩選就儘量蒐購，而後囫圇吞棗一知半解如嚥解飢。而早期個人醉心文學批評，並非因當時講授文學批評課程，那位年邁據說滿腹經綸卻不幸又罹患輕微中風的長者發啓的，而是另外講授修辭學課程那位白髮皤皤據聞僅僅對傳統經典略識之無。偏袒西學攻詰舊學的介紹。幸虧那門修辭學課程屬於必修，否則類似他如此講授方式，相信不是蹈課，就是偷看別的東西，不少就按捺不住夢見周公。唯一值得記憶的他臚列參考書目不下三四十種。他亦不諳外文，列舉相關書目有不少是翻譯本，個人對朱光潛、姚一葦、王夢鷗等時賢的專書如「文藝心理學」、「藝術的奧祕」和「文學概論」等等便是從那時萌發興趣，後來雖轉向古籍的校釋、今註今譯，可是卅幾年來，坊間一有相關論著出現亦不遺餘力的蒐購。個人又不諳外文，必須仰賴他人的翻譯。而就目前個人手頭有的幾種經典的相關譯本，亦不難明白兩岸的精勤用心，成績高下。

有「批評心理學大師」美譽的李卻滋（I. A. Richards，另譯李查茲）的經典不朽鉅著——「文學批評原理」（Principles of Literary Criticism）發表於一九二五年，像這本舉世公認文學批評必備必讀的經典，彼岸有無譯本不得而知，幾乎將屆八十年，我們這裡肯定沒有該書翻譯本。不知多少年前，個人就似曾在徐復觀教授相關照片的書架見到日譯本的「文學批評原理」，因他熟諳日文。而我們從報導都知道，所有學術專著論文，日譯本的出現與原著相距據說很少超過十年，有時聽說原著一問世，明年或後年就有日譯本。個人手頭有整套一九六六年創刊的「文學季刊」，那已經是四十年的陳年舊事，而距離原著發表亦已經超過四十年。創刊號的第一篇文章，便是梁宗之（不知是不是王夢鷗前輩的筆名）譯的「文學批評原理」首章〈批評理論的紊亂〉。文前有譯者短文說明他根據的是一九六四年原著的複印本，而且對有人雅謔說李查茲的著作——「好像要把『行空的天馬』（詩靈）當作拉車的牲口來充任心理學的運輸工作。」——認爲當然亦有它的理由。可是不知因何緣故，「文學季刊」停刊後改名爲「文學雙月刊」，似乎只發行兩期就停刊，又更名爲「文季」，似乎亦只發行三期就停刊。今日逐期將「文學季刊」、「文學雙月刊」和「文季」翻遍，卻沒有再見「文學批評原理」的後續譯文，讓人相當納悶無奈。而譯者梁宗之的短文，又提及李查茲於一九二九年，相距僅四年，他又發表「實用的批評」（Practical Criticism-Astudy of Literary），並且說該書要依據現代的心理學和邏輯方法，重新解釋過去常被文學批評界採用，但定義十分曖昧的術語及名詞。最後說明一個人對於作品的認知，有時因爲語言文字，有時因爲個人感情或既有的觀念，產生不解或誤解。甚者因個人感情用事或入主出奴的意見而衍生種種批評障蔽。爲驅逐種種障蔽，李查滋的「實用的批評」就採擇他認爲可靠的實驗材料，然後利用實驗心理學的測驗方法，試圖找尋一條比較妥適的批評道路。事隔長達半個世紀五十年，也就是一九七九年，我們這裡總算差強人意出現中譯本。譯者是徐進夫，而將書名更譯爲「實驗批評」，該書是乾隆圖書無限公司印行該年九月卅日出版，平裝本定價壹佰元。譯者在序言更坦陳該書的內容繁富、指涉深廣、論事冷靜、客觀、透闢等等，且譽爲廿世紀文學批評之里程碑。

而韋勒克與華倫（Rene Wellek & Austin Warren）合著的文學批評劃時代傑作（Theory of Literature）初版於一九四六年，目前兩岸皆有中譯本，我們這裡且有兩種，一九七六年，也就是原著發行的卅年，王夢鷗、許國衡兩人合譯（據說前者爲後者岳丈，不知確否？）爲「文學論——文學研究方法論」初版定價壹佰參拾元，正文四五二頁，附錄的中英對照人名索引，依英文AB次序排列十五頁，總計四六七頁。譯者在序文裡說明原著是「文學的理論與文學研究方法論」的簡稱，而且援引原著作者自謂該書「既非指導青年文學欣賞要點的讀物，也不是介紹學術研究所使用的方法」。譯者認爲原著大旨僅是希望將文學理論與價值評判兩者融合在文學史與文學作品的研究裡，建立他們所謂的「文學的學問」。譯者特別激賞原著組織綿密、內容富贍，作者態度專精、用力至勤。而且稱譽原著是時無古今而唯文章是擇。不但包括英美，且及德法義與斯拉夫語系，東方文學亦偶而觸及，可謂賅博精深。譯者又自謙譾陋，約在中譯本全書初版前十年，就曾經試譯原著的若干章，且發表於文學刊物，而後依序全譯，時作時輟。且特別提及我們在一五〇〇多年前就有劉勰（彥和）的「文心雕龍」那部組織經營，煞費苦心，尤其使用豐富資料的空前絕後鉅著。「文學論——文學研究方法論」中譯本由台北志文出版社發行，列爲新潮大學叢書的第三種。該叢書的前兩種分別爲顏元叔譯的衛姆塞特與布魯克斯（WimsattJr & Cleanth Brooks）合著的「西洋文學批評史」（Literary Criticism: AShort History），胡耀恆譯的布羅凱特（Oscar G. Brockett）的「世界戲劇藝術欣賞——世界戲劇史」。顏譯全文多達七〇〇頁，胡譯連附錄圖片更多達將近八〇〇頁。兩本中譯初版皆於一九七三、一九七四年前後發行。從個人手邊擁有兩本中譯有關譯者簡介，當時顏元叔尚未屆不惑，胡耀恆才僅卅八歲。事隔將近十年水牛出版社，卻突兀推出梁伯傑譯的「文學理論」，封面的原著作者卻寫成 Rene & Wellek 實在讓人相當納悶。因爲 Rene Wellek 是原著兩位作者之一，不知是印刷誤植，抑是有其他難言苦楚。個人手頭版本是一九八七年六月十五日再版，特價貳佰伍拾元，僅有正文四三七頁，既沒有譯者序，當然無法了解梁氏是何許人也，如果再將兩本中譯詳加比較，更不難發現梁譯沒有著者初版、二版、三版的原序，也沒有中英對照人名索引等附錄。因爲沒有譯者序文，亦無法知悉他是根據原著的第幾版，以致兩本中譯在目錄、章次編排卻有相當的差異。兩本中譯皆爲四篇十九章，可是前者第一篇有五章、第二篇僅有一章、第三篇有五章，第四篇有八章。後者第一篇有六章、第二篇有五章、第三篇有四章、第四篇有四章。不僅如此，後者在第二篇的五章、第三篇的四章前面皆有一篇導論。而兩本中譯各篇各章的譯名又有相當的差異。至於誰是誰非，彼此良窳當然留待專家依原著去判斷。倒是兩者有關附註、譯註條目多寡，文字詳略卻相當的懸殊。姑且列舉幾章特殊例子，可見其他。梁譯「文學原理」的譯註，最多的是十五章的十五條，十七章的十條，其餘各章的譯註全在十條以下，而第八章、第十九章的譯註皆僅有一條，更甚者梁氏譯的第七章竟沒有任何譯註。反觀王、許兩氏合譯的「文學論——文學研究方法論」的附註，第十五章多達六十條，第十七章亦多達卅四條。而第八章、第十九章多達廿五條、卅六條。而梁譯沒有任何譯註的第七章，王許兩氏合譯的附註竟亦多達十條。譯註、附註兩者條目彼此相差如此懸殊本就相當可議。如果再就譯註、附註兩者文字詳略比較，更何啻天壤。初看譯註、附註似乎一者全憑譯者依據行文需要而兩言三語簡略敘述帶過，一者不但反覆玩索細讀原著，更不時檢閱原著所附的參考書，深思詳酌而後行文敘述。個人因不諳外文，此亦揣測想當然妄言，真象如何更有待專家去推敲。至於彼岸的中譯本，這邊書坊尚未出現，個人是從一九九五年，爾雅出版社初版發行彼岸學者劉俊的「悲憫情懷——白先勇評傳」一書的注釋知道的。在該書第三章——〈生存的迷惘和困惑〉與〈放逐的哀痛和歌哭〉的注釋卅六（該書第二七六頁）有援引，彼岸亦譯名爲「文學理論」，三聯書店一九八四年版，因爲個人手邊尙無該中譯本，倒底是不是一九八四年才初版，抑是早就有中譯本全不詳知。只是將原書作者譯爲韋勒克．沃倫。事情有時往往不知是巧合抑是偶然，今年雙十節前後，帶隊旅行三天，偷得浮生半日閒，獨自又去逛那間專售彼岸出版品，曾經買回後文所提錢穆的「史記地名考」書店，竟然又讓個人買回韋勒克的「批評的概念」（Concepts of Criticism）和「近代文學批評史」（A History of Modern Criticism）。兩種中譯本都是簡體。前書譯者是張今言。正文十九章三四四頁，前有引言，後有人名與書名索引、主題與名詞索引兩種將近八〇頁。一九九九年中國美術學院出版社發行，定價人民幣廿八元五角。譯者前言敘述韋勒克生平、著作及觀點，讀者可自行參閱，個人僅抄錄譯者歸納出幾個重要觀點：（一）重視文學理論、文學批評和文學史彼此區別和聯系（二）強調文學作品是可以分析的整體結構（三）文學研究不能排除價値判斷（四）維護文學史的幾個時期概念（五）強調文學研究的對象是文學藝術作品本身。譯者前言多達六頁，將近四〇〇〇字。而最後的譯後註卻僅一頁又一行，恐怕不只五〇〇字，卻有一二件相當溫馨動人的趣事。一是譯者在翻譯「批評的概念」時曾與韋勒克通信，一九九五年韋勒克往生後，譯者有幸又得到韋勒克夫人（Nonna D. Wellek）的鼎助，寄來有關韋勒克的資料。譯者早在五〇年代就開始讀他的「文學理論」和「近代文學批評史」，爲他的淵博學識和廣闊視野所折服。譯者張今言特別提及「願將此書獻給原書著者，實現他生前希望將中譯本放在他書架上的意願。」另一是譯者對當時在北京大學任教的批評家燕卜蓀（William Empson）永恆而深切的懷念。雖然幾十年時光流逝，可是燕卜蓀誨人不倦、循循善誘的風範，卻使譯者從他講授課程受益良多，引發譯者對西方文學批評產生濃厚的興趣，日後不斷學習與探索。延伸到閱讀，甚至翻譯韋勒克的著作。提及燕卜蓀才勾起個人曾在六十年代前後，也是因爲修辭學課程那位教授提及姚一葦教授的「藝術的奧祕」，才引發日後對姚教授幾乎所有著作的嗜讀與酷愛，今姚教授雖遽歸道山，個人相信跟所有喜好美學、戲劇、文學批評的讀者，對他的懷念只有日增不已。在「藝術的奧祕」裡，他將（William Empson）譯爲恩普遜，而且多處援引他的名著「七種曖昧型」（Seven Types of Ambiguity）。現將他譯的恩普遜對「曖昧」（ambiguity）的解釋抄錄如後：「曖昧本身係謂不能確定你所指爲何，即一種意向中表數種東西，可能爲此或彼，或表二者，以及其所陳述者有數種意義。」至於後書即「近代文學批評史」的中譯，如果個人推測無誤的話，全部應爲六卷（六冊）已經問世，以後有無續篇則不得而知。就像個人購買「陳寅恪集」方式一樣。分幾次才蒐購齊全。當時僅購得一、二、三、五卷四冊，四、六卷兩冊尚付諸缺如。今僅就手頭四冊略爲說明，聊供有興趣閱讀該書的讀者參考。先說明該書分章細節，後再兼及該書的中譯。「近代文學批評史」的時代範疇是一七五〇—一九五〇年，長達兩個世紀。前三卷分別爲古典主義時代、浪漫主義時代、過渡時代，第五卷爲英國批評。該四卷正文分別爲三

三六、四〇八、三一八、四四八頁。每冊後面都附有原著引文出處，著作年表、人名索引，和主題和術語索引四項。後面三種都僅僅只有寥寥數頁，最多亦不過廿幾頁。可是原書引文出處，少者七八十頁，多者竟高達將近一五〇頁。「近代文學批評史」由上海譯文出版社發行，如果個人推測無誤的話。該書應該分兩次發行，一次爲一九九七年，一次爲二〇〇二年。四冊定價分別爲人民幣廿九·八元、卅三·三元、三〇·八元、卅九元。再來談談「近代文學批評史」的中譯過程，比起「批評的概念」不但溫馨動人實在有過之而無不及，有趣的過程曲折更讓人嘖嘖稱奇。該書中譯本第一卷是楊豈深、楊自伍父子二人合譯，第二卷以後由楊自伍獨譯。從譯者前言十頁，前面七頁署名楊氏父子二人，與「批評的概念」一樣仍是敘述韋勒克生平、著作及觀點，兩書中譯前言皆大同小異，讀者仍可自行參閱。後面三頁只署名楊豈深。卻是談這部厚達兩仟餘頁的中譯過程。楊豈深說那已經是廿多前陳年舊事。在一九九五年，他就從復旦大學借回「近代文學批評史：一七五〇—一九五〇」前二卷，大略翻閱一遍，最初獲得印象是「該書較具系統性，內容豐富，材料翔實」，而且肯定韋勒克的見解「明達開通」，就直覺該書相當值得介紹給中文讀者，而引起翻譯該書的念頭。但是讓他躊躇的是韋勒克的原著援引採用的文獻書籍牽涉多種語言。而且這些文獻書籍有不少當時在上海或國外都不易找到原著。楊豈深自謙除英文外，即使找到那些文獻書籍，以他的另外語種水平實在沒有能力去彼此參閱比較，以致遲遲不敢動筆。說來真湊巧，一九七六年因爲健康欠佳獲准休假一年。而當時彼岸的高教部擬將「近代文學批評史」列爲高等學校文科輔助教材，吩咐他翻譯該書。於是他重讀該著第一卷，「一面怦然心動，躍躍欲試。一面又力不從心，顧慮重重。」最後還是承擔該項工作，不知是何原因，整整一年僅僅完成三章譯稿。他曾將首章導論的譯稿提交出版社審閱後，都相當希望他繼續翻譯完成。那裡知道次年彼岸就發生長達十年的文化大浩劫，不但客觀條件不允許他繼續這項工作，更不幸兩次抄家，竟然將四萬言的「近代文學批評史」譯稿弄得不知去向，始終沒有下落。雖然一九八七年浩劫結束，楊豈深坦陳實在沒有勇氣再另起爐灶，打算將昔日所譯全付諸東流。沒有想到一九九〇年又重提往事，別人一再鼓勵鞭策，於是他勉強重操舊業。且更建議他不妨尋找一位中青年紀助手合作，以便該項巨大工程早日完成。沒有想到那時彼此手頭工作本就不少，而且彼此連繫又相當困難，一時無法找到合適助手，因緣際會湊巧讓這項譯事的助手竟落在他的幼子楊自伍。命運似冥冥早就安排，楊自伍一向喜歡讀書，對中外文學本就頗有興趣，楊豈深就不時指點他要多對英語、漢語下工夫，指示他西方文學的門徑。到底是什麼原因，楊自伍的求學就業都曾遭遇相當的波折，外人無法得知他爲何在自學道路蹭蹭蹬蹬十幾年。他對父親的指點指示都能領悟牢記，且又認真付出最大的努力。於是八十年代初，他就嘗試翻譯練習，然後將他的習作交給他的父親批改。不久楊自伍竟願意協助他的父親完成「近代文學批評史」第一卷的翻譯工作，也許這就是前面提及父子二人合譯的來龍去脈。而後在譯書進行過程，父子二人彼此存有分歧。父親認爲譯書應力求平實，所謂「辭達而已矣」。兒子卻認爲外國文藝理論及批評文字常常有「枯燥板滯」弊病，譯文就有必要提高可讀性。經過幾次面紅耳赤的爭議，父子二人彼此遷就，對譯文處理就不再堅持己見，而獲得兩大前提的共識：不離開翻譯原則、不損害譯文質量。在這共識的前提下，兒子負責翻譯的初稿，父親則負責校改、定稿。而全書的譯注由楊自伍單獨負責。楊豈深則偶而提供線索的查考而已，也許這就是前面提及自第二卷以後全部由楊自伍獨譯的前因後果。最後再援引一件趣事當爲如此冗長敘述的結語，「近代文學批評史」譯稿完成後，曾經幾次就譯名定奪及有關希臘羅馬文字的引文問題向以「談藝錄」、「管錐篇」等備受學術界激賞被稱爲民國第一才子的時賢錢鍾書（默存）請教，卻又擔心影響對方的著書立說而無法如願，感到無限的遺憾。讀到這段曲曲折折的譯事過程，依個人閱讀錢鍾書著作及相關的評介經驗，如果當時譯文有幸經錢鍾書過目，甚者經他修改潤飾，也許今日面對的「近代文學批評史」恐怕又是別開生面的另一頁。

再回過頭來，瑣碎點點滴滴就美學與藝術批評二者略說一二。時賢如朱光潛的「文藝心理學」、王夢鷗的「文學概論」和姚一葦的「藝術的奧祕」等書，一般讀者相當熟稔，且奠定應該擁有的評價，無庸再議，姑且暫時擱置。首就早期幾本歐美巨匠宏鑄的中譯本來說，朱光潛譯的克羅齊（Benedetto Croce）的「美學原理」，一九四七年初版，當時彼岸的出版品尚無法公然發售，書店不得不將朱氏抹去，而掛名爲正中書局編審委員會。個人手頭是一九七三年台七版，全書正文一五五頁，註釋五〇頁，合計二〇六頁平裝本，定價約伍拾元左右，而且又附加「重譯」二字。依譯文檢視，不敢說是欺騙，恐怕對讀者有相當的隱瞞。桑塔耶那（George Santayana）的「美感」（The Sense of Beauty）原著一八九六年問世，被譽為「美國文化對美學的最佳貢獻」。幾乎長達將近八十年，這邊才有中譯本，一九七二年由杜若洲譯出，全書三五八頁，晨鐘出版社發行，列為該社向日葵新刊十四，精裝本定價伍拾元。另外個人分兩次購得四冊黑格爾（Friedrich Hegel）的「美學」（Aesthetics）。前二冊為精裝，後二冊為平裝，這邊的里仁書局翻印本，個人揣測應也是朱光潛（孟實）的譯本，四冊譯文分別為四〇三、四〇七、四二七、三九二頁。前二冊精裝本一九八一年出版，價格不詳，後二冊平裝本分別為一九八二、一九八三年出版，定價分別為壹佰參拾伍、壹佰元，這幾種中譯都是廿幾甚至卅年前的往事。而卅五年前，也就是一九六七年，當時年僅卅三歲的劉文潭（一九三四年生）就出版有「現代美學」，再隔五年，也就是一九七二年，他又有「美學與藝術批評」問世。「現代美學」列為私立東海大學教員研究成果，商務印書館發行，全書正文二九六頁，附錄四篇、重要參考書目，總計三六六頁，平裝本定價為捌拾捌元。「美學與藝術批評」為環宇出版社發行，全書正文一八六頁，附錄八篇，參考書目，總計三五六頁，列為該社長春籐文庫廿一，精裝本定價陸拾捌元，該書且附有十餘幅彩色或黑白畢卡索（Picasso）、梵谷（Van Gogh）、塞尙（Paul Cezanne）、馬奈（Manet）等名家作品，而且兩書參考書目不下數十甚者高達百餘種，全是外文，沒有一本中文。印象非常深刻，「現代美學」也在前面所提那位修辭學教授所臚列不下三四十種參考書目裡面。而記憶浮起當時台灣大學有位講師，應該是哲學系的，年紀輕輕，似乎個人曾去信向他請教若干美學範疇的東西，他以明信片函覆，字跡相當工整，蠅頭細字，非常遺憾，那唯一的明信片也因個人遷移他地服務而遺落。他的函覆對劉文潭的「現代美學」有所批評，甚至說有抄襲某部外文著作嫌疑。依個人那時才廿初頭，膚淺的美學常識，無法明白他所說的是否真實，半信半疑。而卅五年來，個人將屆耳順，劉文潭亦將屆隨心所欲不踰距年紀，他的「現代美學」仍舊發行且再版多次，如果說是抄襲恐怕過份誇大嚴重。今日再取出卅幾年初版的「現代美學」，在序論註七那條，也許讓讀者有更寬廣的空間去尋思當時的種種糾葛。註七那條特別強調「現代美學」末章（即〈藝術與藝術批評〉）因爲涉及範圍過廣，不是他當時卅三歲學力所能勝任，強調該章資料係間接自（Jerome Stolnitz）著的（Aesthetics and philosophy of Art Criticism）第六部取材，而且又特別強調：「資料出處均按照該書原註於章末註出。」接著他又說其他各章因爲範圍比較狹窄有限，資料都是他直接從各家原著援引，採取夾敘方式，在每章本文將資料出處清楚交待。然後再依各章次序開列重要參考書目附於書末。換句話說，除末章〈藝術與藝術批評〉有多達四十四條附註外，其他一——十一章只有正文，全部沒有任何附註。卅幾年過去了，個人與劉文潭，那位年紀輕輕的講師，彼此仍然都緣慳一面，誰是誰非再去爭論題屬多餘且無意義。而且歷史，尤其是學術界，對任何人絕對是公平而不偏頗，什麼人有沒有真實才學，什麼人有沒有不朽論著，時間絕對是可靠的見證者。而當年那位年紀輕輕的講師，個人經常涉足書城的大街小巷，似乎失去他的蹤影，好像都沒見他有專著，也沒見報章雜誌刊登他的論文，說是不知下落或是下落不明恐不爲過。而劉文潭卻在「美學與美學批評」問世後十年，也就是一九八一年將波蘭籍佛拉第斯勞・達達基滋（Wtadystaw Tatarkiewicz）的「美學史」（History of Aesthetics）的卷一——「西洋古代美學」譯出，再隔六年，也就是一九八七年，又將他的「西洋六大美學理念史」（A History of Six Ideas）譯出。書前書由聯經出版事業公司發行，正文二七〇頁，書前有列出該書正文裡十九張圖解目錄。書後有參考書目附錄，分爲一般美學史之書目，研究古代美學之論著兩種，亦全是外文，沒有一本中文。一九七一年初版，平裝本定價參佰元。後書由丹青圖書有限公司發行，正文四六七頁，書前有十餘幅彩色康丁斯基（Vassily Kandinsky）、莫內（Claude Monet）、林布蘭（Rembrandt）、米開蘭基羅（Michelangelo）等名家作品。最前面有張譯者一九八六年在希臘雅典的巴特農神殿（The Parthenon）前留影。書後參考書目分爲一般參攷書、古代、中世紀、近代（十五世紀至十九世紀）、當代（十九世紀至廿世紀）五種。而後四種（即古代、中世紀、近代、當代）的參考書又細分爲一般資料、主要資料、次要資料。多達六四頁，粗略估計援引書目恐怕超過五六百種。而全是外文，沒有一本中文。一九八七年初版，平裝本定價肆佰元。不知因何緣故，最近（二〇〇三年秋暮）在報紙出現「聯經再度取得獨家繁體中文版權」的廣告。「西洋古代美學」、「西洋六大美學理念史」兩書前都有譯者的序。而前書序文長達將近五〇〇〇字，後書序文大抵依襲前者，字數約僅前者二分之一。相當冗長有關達達基滋的生平、經歷，著作發行等，讀者可自行參閱。個人擬就譯者所提幾件史實及相關著作略敘提供讀書參考。達達基滋三大卷的「美學史」寫於一九六二——一九六七年，英譯本自一九七〇——一九七四年全部出齊，兩者相距不夠七八年，不難想像學術界的關心，文化界的努力。有關「美學史」的著述，譯者認爲在西方並非什麼創舉，他列舉在達達基滋以前的作品並稍加批評，如英國鮑桑葵（B. Bosanquet）的「美學史」就嫌艱晦，美大利克羅齊附在他的「美學原理」後的「美學史」就嫌偏激，而美國吉爾柏袞和庫恩（K. Gilbert and Kuhn）二人合著的「美學史」雖是引人矚目，卻又嫌雜亂。譯者認爲達達基滋三大卷的「美學史」能有卓絕不凡的成就，歸功於作者學識淵博、方法嚴謹、見解豁達。而作者深厚的藝術史、藝術批評和古典的學識，對美學的發展和藝術的優秀性能全盤托出，且能廣泛的詮釋，他的「美學史」的體大思精，圓融周洽，而被評爲「這是一部不朽的美學史」是當之無愧的。猶記得卅幾年前劉文潭就認爲朱光潛的「文學心理學」是當時介紹西方美學的創舉，是傳頌一時的名著，然依今日眼光檢視，該書仍有許多美中不足的地方，如取材過於偏狹，介紹理論與原著多所不符，編排缺乏系統且不客觀，貌似融貫實爲恣意揉合而零亂，矯情忽視攻研美學必要有哲學的素養，以致介紹西方各家的理論，頗多「想當然耳」的看法等等（見一九六七年初版的「現代美學」序論註九那條）。經過約十四年，也就是一九八一年劉文潭又提及朱光潛的「西方美學史」，當時他尚在海外遊學，依據他的敘述，在六十年代初期朱光潛寫成第一本中文的「西方美學史」，於一九六四年在北平出版，全書七〇七頁，分爲上、下兩冊。上冊內容爲編寫凡例、序論及第一部份：〈古希臘羅馬時期到文藝復興〉，下冊內容爲第二部份：〈十七、八世紀和啓蒙運動〉。個人手頭的這部「西方美學史」，是一九八二年，漢京文化事業有限公司初版，分爲上卷、下卷兩冊，上卷三二七頁，內容正是劉文潭所提的編寫凡例、序論及第一部份：〈古希臘羅馬時期到文藝復興〉、第二部分：〈十七、八世紀和啓蒙運動〉的全部。而下卷三六八頁目錄卻列爲第三部份：〈十八世紀末到二十世紀初〉。正文三六〇頁，其餘八頁爲附錄的簡要書目，分爲西方美學史、西方美學論著選集、重要美學名著等三項，除原著作者中譯括號列出外文原名外，全部都是中文。經過二十多年才購買兩冊平裝重校普及版的「西方美學史」，定價兩佰伍拾元。劉文潭特別讚譽朱光潛治學的精純精神，極備學術的良知與誠正。可是他亦毫不諱言。朱氏因爲陷身彼岸，無法擺脫馬列思想的羈制，被迫屈從於馬列主義的觀點和方法，而將辯證唯物，歷史唯物主義列爲指導原則，造成「西方美學史」無法彌補的缺憾，可是後來有緣接觸該書的讀者，都不時多少能夠從行文字裡體會出朱光潛的無奈與苦楚。廿幾年又過去了，不知因何緣故，卻始終沒有見到劉文潭繼續將達達基滋的「美學史」第二卷〈中世紀美學〉及第三卷〈近代美學〉譯出，以饗不諳外文讀者。而他在「西洋古代美學」譯序提及曾將該書第三部第六章〈西塞羅和折衷主義者的美學〉爲饜足西方讀者的希求，原著有另闢專章論列希臘化時期與詩歌、音樂、修辭學及造形藝術相關的美學，以及藝術分類諸問題，可是劉文潭認爲，該章「旁枝蔓延，頗顯繁複」，以致將該處「斟情保留」，也希望他日再視讀者若有實際需要，將在再版時隨時補足。可是「西洋古代美學」發行多年，再版多次，似乎仍舊是初版面貌，想來讓不少讀者納悶與遺憾。

開始就曾坦言，個人想到什麼就寫什麼，章法必然雜蕪。最後再提二本彼岸有關文學批評與小說理論的名著中譯，個人手邊有一本艾布拉姆斯（M. H. Abrams）的「鏡與燈」（The Mirror and the Lamp: Theory and the Critical Tradition）副題譯爲「浪漫主義文論及批評傳統」，一九八九年新華書店北京發行所出版。正文、章節注釋五五〇頁，簡體，定價人民幣十一元三角。另一本個人尚未買到，而也是從前面所提彼岸學者劉俊的「悲憫情懷——白先勇評傳」一書的註釋獲知的。在該書的第三章——〈生存的迷惘和困惑〉與〈放逐的哀痛和歌哭〉的卅幾條注釋援引的珀西・盧伯克（Percy Lubbock）的「小說技巧」（The Craft of Fiction）。從援引注釋裡，僅知「小說技巧」是一九九〇年由上海文藝出版社發行，頁數、定價多少都不得而知，僅知被列爲「小說美學經典三種」。而在援引「小說技巧」的注釋前（該書第二七六頁）有三條注釋：丹・施茨的「人文主義遺產」、亨利・詹姆斯（Henry James）

的「小說藝術：評論性序言集」、格雷厄姆．格林（Graham Greere）的「逃避的法門」皆轉引自「小說美學經典三種」，除「小說技巧」外，其他兩種小說美學經典到底是何書亦無從詳知。從「鏡與燈」前的中譯本序和最末的譯後記，發現竟然有與前文所提李卻滋（另譯李查茲），燕卜蓀（另譯恩普遜）師生因緣巧合趣聞。原來艾布拉姆斯和燕卜蓀兩人皆是李查茲的高足。李賦宁在「鏡與燈」的中譯本序提及李查茲在二十年代就開始在英國劍橋講授文學批評課程，而更推譽李查茲是二十世紀一位最早將科學方法運用到文藝理論和文學批評的學者。李賦宁將燕卜蓀的名著（**Seven Types of Ambiguity**）譯爲「七種類型的含混」。李賦宁提及一九五六年曾在北京大學講授西方文學批評課程，採用的參攷書雖然內容豐富淵博，但卻過於詳盡繁瑣，讓人有見樹不見林的缺憾。艾布拉姆斯的「鏡與燈」雖然副題是「浪漫主義文論及批評傳統」，可是他從歷史發展的角度，詳細闡明模仿說、實用說、表現說、和客觀說四者在西方浪漫主義文藝理論和文學批評在各階段歷史的發展盛衰，乃至實際運用的利弊得失做一個全面的回顧和總結。另外艾布拉姆斯又相當明確提出文藝理論和文學批評的四大要素：作品、宇宙、作家、讀者的理論，以及這四大要素在模倣、實用、表現、客觀四項批評理論所佔的比重等創見，皆被西方學術界普遍採用，使讀者對西方文藝理論和文學批評史有一個更明晰而全面的認識。而「鏡與燈」的中譯是酈稚牛、張照進、童慶生三人合作。而「鏡與燈」原著自一九五三年問世以後，因爲理論著作翻譯的艱難，都無人敢問津提筆翻譯。直到一九八八年完成全書的中譯，相距長達卅五年。雖然譯文初稿、草稿幾度易手，漏譯或疏忽乃至空白都需要補譯，另外又有不少外語如拉丁文、德文等問題，都必須向前輩學者請益，乃至艾布拉姆斯本人對「鏡與燈」的中譯過程，更是付出極大的熱情和關注，讓譯者深深體會出前輩學者那種「嚴謹、謙虛和平易近人」優良傳統的學術風氣。而有關「小說技巧」的種種說來更是話長，遠在一九七三年，距今整整卅年，這邊志文出版社就發行英國偉大小說家（Edward Morgan Forster）的小說藝術理論巨著（Aspects of the Novel）的中譯本，譯名爲「小說面面觀」，副題譯爲「現代小說寫作的藝術」，譯者李文彬，根據書後簡介僅知道他是一九四三年生，換句話說當時年僅卅歲。個人永遠不會忘記，一九七三年前剛從中文系畢業三四年，就初次墮入今生今世唯一惆悵而不堪回首情網，而後當兵服役而後投考中研所敗北，也就在一九七三年的暮冬結婚，從此註定個人在事雜心煩的行政工作沉淪打滾廿多年，今將屆耳順，相信距退休日子不遠，個人唯一企盼在中文系所任教的夢想也終生永無實現的一日。婚後日以繼夜狂熱工作，喘息餘暇，就嗜讀姜貴、張愛玲、白先勇、陳若曦、陳映真、王禎和，七等生，黃春明等小說家的作品。幾乎所有他們的小說個人都儘力蒐購，今日仍擠滿書架相當的空間。因爲嗜讀當代名家小說，不諳外文，旁涉文學理論與批評有關的中譯，而偶而寫點讀書心得的評介，尤其是小說評介著墨最多最深。其中有兩篇與白先勇小說的相關評介，分別爲〈期待『長篇鉅著』〉、〈敢愛敢恨，亦雕亦鏤的的『玉卿嫂』〉。

（兩文皆收入拙著「現代文學評論」一九八三年東大版）曾經將「小說面面觀」逐字逐句苦讀，甚至利用佛斯特的「小說人物的真不真，只能依照小說法則去衡量。」的觀點，寫成「王禎和小說的人物造型」長文（發表於一九七八年四月「幼獅文藝」二九二期，後亦收入前列拙著）。那本初版的「小說面面觀」不知是被友人借走抑是他故，今下落不明。但是李文彬在前面譯序提及路伯克（即彼岸譯爲珀西．盧伯克）的「小說技巧」卻始終縈繞在個人心坎，卅年過去了，這邊仍未出現這本被認爲廿世紀前半期西方小說理論長篇鉅構的中譯，而彼岸卻在十幾年前，即一九九〇年就有中譯，迄今個人尚向隅沒有買到，想來爲這邊的譯界汗顏不已。今日手邊的「小說面面觀」爲二〇〇二年一月新版。正文、附佛斯特年譜計二二六頁，平裝定價壹佰陸拾元。再從書後簡介得知譯者李文彬現任教政治大學英語系，他譯的「小說面面觀」常被國內多所大學採用爲教科書，可說是小說欣賞入門佳構。西方小說理論自亨利．詹姆斯（Henry James）建立後，規模雖粗具，多數仍囿於「篇短理蕪」。路伯克繼承亨利．詹姆斯的小說理論，將「敘事觀點」（Point of view）列爲小說藝術技巧的首要地位，從此敘事觀點的理論被廿世紀小說批評視爲金科玉律。白先勇就坦承「小說技巧」這本經典啓發他了解到小說敘述觀點的重要。劉俊就提及白先勇自參照「小說技巧」甚至接受「小說技巧」指導後，他的小說無論是主題意旨、人物塑造，還是結構形態，視角選擇。乃至語氣調度、語言運用等方面，在品質的根本性有相當的改變，使他的小說創作趨向成熟階段。（引自「悲憫情懷——白先勇評傳」二四九頁）路伯克的「小說技巧」首先破除傳統敘述者「無所不知」的手法，而特別強調觀點的重要，其次他不再囿制於傳統重情節，輕人物的格局，而將人物提高到前所未有的高度。再將觀點不僅僅保留於人物的外部活動、且更進一步引入人物的內心世界。「小說技巧」被公認爲一本通俗易懂的理論著作，且被譽爲入門佳構。今試摘錄數則雋句警語，讓有興趣讀者參考。如「一部作品就是一種本身即賦有形式的東西。」如「最好的形式是能把作品發揮盡致的那種形式。」如「形式看上去不完美，那就意味著主題在什麼地方表現得不夠完美，意味著故事有所傷害。」等強調形式關係小說藝術成就至鉅。而路伯克又特別提出依賴形式而產生提出「畫面」和「戲劇性場面」兩種在小說創作相當代表性的手法。他認爲「畫面」是「給人的印象，可以說讀者一點也沒有真的觀看。或者說只是不時看一看那個場面。」是「從屬性、初步性、預備性的鋪墊和蓄積的工作。偉大的小說家卻能將情景的片斷，還有其他的一切都能生動自如緊湊加以戲劇化。」換句話說，只有「戲劇性的場面才是小說家筆下最精彩的場面」。而所謂戲劇性就是小說家能「把讀者安排在那兒，在看得見，聽得到的那些真情實況面前，讓這些真情實況來講故事。」這就涉及前面強調的「敘事觀點」。最後路伯克推斷偉大的小說家總是「希望故事儘可能由它本身來講，人物和情節也是獨立地自行演出，而不要加以敘述和解說。」偉大的小說家企圖達到這種效果，他採用手法「就要能發揮主題所容許的最高限度的戲劇能量。」最後他認爲一位真正成熟的小說家，「戲劇性場面」和「畫面」在作品裡必是融滙整合為一個完整的有機體。

最後談到書價，這是讓人尷尬而難堪的事。尤其知識份子更不應該提及這種現實又庸俗的話題。猶記得約廿年前，個人爲讀者叫屈曾寫篇「談書價」的短文，不足千字。廿年過去，沒錯經濟真的起飛，國民所得真的提高，書價調漲亦是順理成章，可是調漲幅度似乎有不少爭議而有待商榷。因爲前面一再以藝文印書館爲例，今不妨再以藝文印書館的出版品，談談書價的一二瑣事。個人喜歡購書，爲負責校務亦不時爲圖書館增購藏書。就以最近購買黃節註的「魏文武明帝詩」、「曹子建詩」、「謝康樂詩」、「鮑參軍詩」、「阮步兵詠懷詩」等五種，及郝立權註的「謝宣城詩」、「陸士衡詩」等兩種及丁仲祜編纂的「陶淵明詩箋注」，全部八種，定價尚不足柒佰元，如果再折扣核計，僅僅只要伍、陸佰元。雖然那八種詩註全部平裝，皆僅僅一二百頁，都沒超過三百頁，價格讓人感到合理，且有低廉的味道。可是藝文印書館出版王叔岷的「顏氏家訓斠注」僅僅一一二頁，售價高達貳佰柒拾伍元。「文心雕龍綴補」僅僅六○頁，售價高達貳佰貳拾元。「世說新語補正」僅僅一三六頁，售價高達參佰陸拾元。而王夢鷗撰的「唐人小說研究」初集、二集、三集、四集分別爲二○○頁、二七○頁、一○○頁、二九○頁，售價亦分別高達爲參佰捌拾伍元、肆佰肆拾元、貳佰柒拾伍元、肆佰玖拾伍元。也許可以諒解王叔岷的三本著作，王夢鷗的四本著作，都是精裝，又有版權，可是類似如此昂貴的價格，恐怕讓人難以心服。因爲談書價，想起一件頗爲巧合而有趣的事。

個人多年來抄錄「史記」相關的資料，當爲他日校釋「史記」的準備。犖犖大者如施之勉的「史記會注考證訂補」、王叔岷的「史記斠證」、日本水澤利忠的「史記會注考證校補」等擠滿整個書架，目前尚未購得張森楷的「史記新校注稿」。如果沒有記錯，個人曾在重慶南路某間書局翻閱過，猶記得似乎是手稿本，今日該書早就不見踪影，將來恐怕只有到國家圖書館抄錄參閱。而且該書似乎又是厚厚數十巨冊，實非個人經濟所能負擔。倒是錢穆的「史記地名考」的購得卻相當曲折。他的自序寫於一九六六年四月，長達廿餘頁，似乎也是廿幾年前，在某書坊看到，平裝本厚厚一巨冊，多少頁目前已沒記憶，只記得該書是委託某大書局經銷代售，定價大約是伍陸佰元左右。當時或是因爲經濟拮据，或是認爲該書僅是臚列資料，就沒購買。雖匆匆翻閱自序，卻對該書完成的前後因緣留下深刻印象。事隔多年，一再想購買該書都無法達成心願。有說絕版，有說不再出版，答案不一而足。個人知道聯經有出版他的全集，可是錢穆的成名專書如「國史大綱」、「先秦諸子繫年」、「中國近三百年學術史」、「兩漢今古文平議」等書早就擠滿個人書房整個書架，爲「史記地名考」而購買他的全集實在沒有必要，也非個人經濟所能負擔。這件憾事徒留惆悵，也隨歲月流逝而逐漸淡忘。沒有想到廿幾年後，去某間專售彼岸出版品的書店，尋購有關「昭明文選」校釋的幾本專書。那幾本專書全部缺貨，卻意外赫然發現兩巨冊彼岸商務印書館出版的「史記地名考」，平裝本，正文及自序多達一五〇〇頁，外加「史記地名考總目」、「史記地名考索引」兩者計近百頁，又是繁體，定價僅僅人民幣八十二元，四倍或五倍折算台幣亦不過三、四佰元。事隔廿多年，是否重新排版無法得知，可是書價不但沒有調高，反而調降豈非怪事。該書在版權頁橫排三行文字，這邊的出版品亦罕見類似字眼。三行分別爲本書已經台灣素書樓文教基金會授權。所有權利保留。未經許可，不得以任何方式使用。個人似乎有意卻又無意將那兩巨冊「史記地名考」放在書桌前的書架，每當抄錄翻閱其他資料，稍倦略作休息，揉揉雙眼，抬頭又看見那兩巨冊的「史記地名考」，常常都莫名不知不覺的暗自苦笑。

補遺

「書海浮生錄」真的就是個人想到什麼就寫什麼，章法雜蕪不待言。如果勉強自嘲調侃，個人業餘筆耕卅年，從來沒有寫過長達萬言的文章，何況「書海浮生錄」竟然超過兩萬字。事隔多日，卻又無意發現尚有一二遺漏。今再不厭其煩，將遺漏的空白，補塗幾筆色彩，幸勿以多事厚顏怪罪。

李卻滋（I. A. Richards 另譯李察茲）的經典不朽鉅著——「文學批評原理」（Principles of Literary Criticism）被舉世公認是文學批評必備必讀的經典。個人在「書海浮生錄」裏，一則說：「彼岸有無譯本不得而知。」再則說：「梁宗之（不知是不是王夢鷗前輩的筆名）譯的『文學批評原理』首章〈批評理論的紊亂〉。」今擬再就這兩句話，補充說明一二。說來也許是偶然．也許是巧合．某日個人又再度前往那間專售彼岸出版品的書店．尋購有關「昭明文選」校釋的幾本專書，仍一如往日那幾本專書還是全部缺貨，卻意外赫然發現書架有兩三本「文學批評原理」，如獲至寶，喜出望外購回。卅幾年來，徐復觀教授書架的日譯本「文學批評原理」精裝厚厚的書影始終浮沉個人腦海。彼岸中譯的「文學批評有理」一九九二年十一月第一版，一九九七年十二月第二次印刷，精裝本定價人民幣十八元，四倍或五倍折算新台幣亦不過七、八十元。譯者竟然是翻譯韋勒克「近代文學批評史」的楊自伍。他譯的「文學批評原理」，書前僅兩三頁前言外，正文卅五章二六一頁，書後又有兩頁的附錄一——〈論價值〉、七頁的附錄二——〈托、斯、艾略特的詩歌〉，最後又有十三頁依 **AB** 次序排別該書出現的作者、重要名詞的原文、中文、頁數。楊自伍將李卻茲譯爲瑞恰慈，「文學批評原理」被列爲中國社會科學院外國文學研究所編輯的二十世紀歐美文論叢書。今就譯者前言的長文擇要抄錄再稍加說明，或許多少讓讀者對瑞恰慈其人其事其書的認識有纖芥裨益。瑞恰慈生於一八九三年，逝世於一九七九年。「文學批評原理」出版時，它才卅一歲。時隔五年又完成「實用批評」（徐進夫譯爲「實驗批評」）這是一部別出心裁實踐性的嘗識著作。它首創的「細讀」方法，爲風行一時的新批評派理論提供強而有力讓人心服的依據。而布魯克斯（**Cleanth Brooks**）、華倫（**Austin Warren**）合著的「理解詩歌」許多關鍵性的術語，都來源於「文學批評原理」、而顏元叔譯的「西洋文學批評史」（楊自伍譯爲「文學批評簡史」）更闢有專章，就瑞恰慈的張力詩學爲題，闡述他的「基於內在平衡說的詩論，以及表達感情與指稱事物的語言用法。」瑞恰慈原先的專業方向並非語言亦非文學，有人就慶幸他沒有接受傳統正規的純文學教育，從而避開偏狹的缺點。因爲這種背景，瑞恰慈在批評、語言、美學三個領域，不論是理論的建立，抑是實踐的運用，他都有突出獨創性的貢獻。楊自伍稱爲「離經叛道、另闢蹊徑，自成一家之言。」瑞恰慈痛斥傳統文藝理論那種籠統零碎的弊病。而他將心理學方法援引到文學研究和批評的範疇，雖然並非十分成功而遭後人批判，可是對傳統那種主觀武斷的批評根基，卻構成強烈動搖的挑戰。楊自伍譽爲「他的文學批評富於科學精神，他的方法和影響，是使批評從純粹主觀主義走向科學態度的一步。」其次，瑞恰慈的文藝理論又與唯美主義、爲詩而詩的理念大異其趣。他認爲當代人類平穩精神受到干擾，唯有詩歌才「能夠拯救」。於是他將價值判斷引進到美學和批評的範疇。強調美的經驗是獨特方式組織的衝動所構成。而在衝動獲得平穩的狀態才體驗到美感。而爲何「文學批評原理」初版經過七十年，中譯本才遲遲出現。楊自伍認爲可能有兩大障礙，造成我們讀懂或理解這部必備必讀的不朽經典鉅著的困難。一種障礙是我們缺少對心理學知識比較系統的了解。另一種障礙是瑞恰慈的風格是「點到爲止、互爲發明。」雖然如此，楊自伍仍認爲「文學批評原理」對文藝理論的研究以及藝術作品的鑑賞，都具有極其重要的意義。他才克服那種遠遠超出他的預料困難，在譯畢韋勒克的「近代文學批評史」後，決心無論如何要完成「文學批評原理」的中譯工作。而他爲方便讀者閱讀，苦心盡力在「譯注」方面下工夫。即使若干出典和疑難問題，雖再三不斷請教幾位中外專家，仍不得其解，他還是將該注地方標出，期盼專家和識者的指點。今日面對他的「文學批評原理」中譯，成績良窳高下姑且不論，他的這份苦心孤詣的情懷，就應贏得我們的喝采，激賞乃至於感謝的。

而在一九六六年創刊的「文學季刊」中譯「文學批評原理」首章〈批評理論的紊亂〉的梁宗之，果然不錯是時賢王夢鷗的筆名。如果就坊間出版王夢鷗教授的著作簡目、年譜，可知他在一九五九年四月，距今已是將近半世紀，就由重光文藝出版社印行他的「文藝技巧論」。他的代表作「文學概論」出版是五年後的事。非常巧合，瑞恰慈出版「文學批評原理」也是時隔五年又完成「實用批評」。有關「文學概論」原委始末容後再敘。個人知道「文藝技巧論」是一九六五—一九六九年唸中文系，從圖書館借到余光中教授譯的「梵谷傳」（也是重光文藝社印行）後面附的書目見到的。猶記得那部「梵谷傳」平裝上下兩冊，封面仍是目前坊間大地出版社，因爲重光結束業務，取得該書版權，改爲平裝一冊（個人手頭爲一九七八年五月初版）梵谷自畫像。那部「梵谷傳」或許經多人借閱，已經相當陳舊破損。曾多方探聽，都未見「文藝技巧論」蹤影。幾次向圖書館申請借閱，答案都說已被借出。個人離開校門是一九六九年，而後王教授的「禮記今註今譯」、「唐人小說研究」（初集、二集、三集、四集）、「文學論——文學研究方法論」（與許國衡合譯）等書相繼問世，事隔廿年左右已經漸漸淡忘。出人意料發現，一九八四年五月學英文化事業重印「文藝技巧論」，且更名爲「文藝論談」出版，平裝一冊特價壹佰貳拾元。書前有作者的再版自序，書後附有王夢鷗先生年譜，正文二三五頁。從再版自序獲知「文藝技巧論」的十六篇是發表在「創作月刊」的短文（這是王教授自謙，篇篇都相當長）然後結集成單行本，他並謙言當時「大家本著朴素的心情從事文藝寫作」。該書出版以後的情形，他也一直無暇打聽，而後接到通知說重光結束業務，他想該書應該絕版。不幸他自己的藏本在一次水災早就付諸東流，而學英文化事業爲重排再版，才從趙友培先生那裏借到一冊孤本。說來更是巧合，趙氏便是個人唸中文系時修辭學課程的老師。「文藝論談」又較原書增益二篇（其實應爲三篇，那二篇因手頭無「文藝技巧論」不詳是指何篇，如果勉強依目次推測可能是後面的〈論悲劇〉、〈喜劇的笑〉，另外多的一篇應是最後那篇〈電影編劇問題〉，這些都僅是個人推測，不具任何意義。王夢鷗教授又謙稱這些短文都是執著一時的見解，都是當時的讀書心得。且強調「原料一二皆出於前賢往哲」，他爲便於初學，僅僅是跟著「隨事敷衍」。而在〈二十世紀初期的文學批評〉那篇（見該書六七—六九頁）就曾援引「文學批評原理」首章〈批評理論的混亂〉前半段。今日再詳細檢視比較，這與梁宗之在一九六六年創刊的「文學季刊」中譯全部吻合，證明梁宗之就是王夢鷗的筆名。而將題目〈批評理論之紊亂〉改爲〈批評理論的混亂〉，又在不妨害原著情況，他對中譯文字有相當的修正，而且將「文學季刊」中譯前面那篇約四〇〇字左右相當重要短文說明全部刪除。其時在一九七一年，也就是距離重光文藝出版的「文藝技巧論」後約十二年。學英文化重版「文藝論談」前約十三年，台南新風出版社就已發行王夢鷗教授的「文藝美學」，（或許新風也如重光一樣結束業務，一九七六年該書改由遠行出版事業重排再版，這亦僅是個人推測）

列爲「紅葉文叢」首冊，且註明爲文學理論，精裝一冊特價貳拾伍元。封面有二幅應是劉國松的抽象畫作，另外一張戴眼鏡、穿西裝、結領帶，彬彬儒雅的黑白照片應是王夢鷗教授本人。「文藝美學」收有上編七章、下編四章。下編四章分別爲〈美的認識〉、〈適性論——合目的性原理〉、〈意境論——假象原理〉、〈神遊論——移感與距離原理〉應是王夢鷗教授當時的作品（他的著作簡目論文目錄遍尋不著）。而上編七章，除〈西洋的文學觀念〉、〈現代文藝論〉外（二章亦未見論文目錄），其餘五章分別爲〈「詩學」以後的文評述略〉、〈浪漫主義文藝之特質〉、〈文藝寫實傾向之進展〉、〈左拉的自然主義文藝〉、〈二十世紀之文學批評〉，皆見於學英文化的「文藝論談」。不同的僅是〈文藝寫實傾向之進展〉與〈左拉的自然文藝〉兩章排列前後互易。而〈二十世紀之文學批評〉的世紀下原有「初期」二字，到底是漏排抑是他故，則不得而知。而在「文藝美學」目錄後有出版者的話，雖然僅僅不到三〇〇字，卻對讀者相當有啓發裨益，今擇要抄錄如下，以供參考。「中國的文學理論建設工作，王夢鷗最沉默也最具成果。他的『文學概論』便是有力的說明。近年來他專注舊籍研究，很少有文學理論發表，這是非常可惜的事。上編是縱的敘述，從古典到現代文學都有清晰的說明。下編是橫的剖析，文學的幾個問題都作深入淺出的探討。」其中提及的舊籍研究，當然指「禮記」、唐人小說等等。回頭過來比較王夢鷗與楊自伍中譯「文學批評原理」的首章，彼此良窳高下，留待專家去評估。楊將章名譯爲〈批評理理的混亂〉卻與新風的「文藝美學」

（見該書九〇—九二頁）學英文化的「文藝論談」（見該書六七—六九頁）吻合。而楊譯的「文學批評原理」全書各章皆有或詳或略的原註、譯注，首章卻例外沒有任何原註、譯註。而在瑞恰慈原著各章前，都有援引前賢的短語片字，就像楊譯首章有「啊，使不得！不過半便士的麵包，卻要灌進斗量的酒！——〈亨利四世・上篇〉」，王夢鷗教授在「文學季刊」的中譯，乃至於新風的「文藝美學」、學英文化的「文藝論談」都未見那幾句中譯。最後再回頭談談「文學概論」出版的原委始末。個人手頭依時代先後有三種分別由帕米爾書店，藝文印書館、時報文化出版內容完全相同的「文學概論」，個人這種癖好，就像手頭就有內容完全相同，皇冠出版張愛玲的長篇小說一九六九、一九八五、一九九一年的「半生緣」三種一樣，只是重新排刷，頁數或許不同而已。帕米爾版的「文學概論」一九六四年三月初版，被列為大學文庫，有副題——現代綜合的考察。目次前有王夢鷗教授大約一五〇〇字左右的「寫在前面」，書後有尉天驄依筆劃順序編製的「參考書目索引」多達十二頁，書目恐怕不少於四五百種。正文廿三章，約廿五萬字，平裝本，基本定價壹元柒角伍分。藝文版的「文學概論」刪去大學文庫、現代綜合的考察。而在「寫在前面」文末補上「民國五十三年二月、編者誌，」（一九六四年三月帕米爾版的「文學概論」剛好初版）。接著又有帕米爾版沒有的「修正版再序」特別提出「文學概論」刊行以來匆匆印售四版。其間因「人事蹉跎，未遑複檢。」又因其中尚有多處「脫文誤字及文字晦澀。」必須稍加修補。為免讀者「塵穢耳目，妨礙思理。」本應改版重排，但重排改版，事非輕易，遂又作罷。而在文末又補上「民國六十四年十二月編者謹記」。個人推測或許帕米爾書店應也是結束業務，而藝文版的「文學概論」，初版也許也在一九七五年歲暮一九七六年初春，個人手頭持有的是二〇〇一年十月版八刷，也是平裝本，定價新台幣二五〇元。不管是帕米爾版抑是藝文版的「文學概論」，每章的繁雜冗長的注釋都全部列在正文後面。而時報文化版的「文學概論」改名爲「中國文學理論與實踐」，列爲文化叢書，且在封面印有「王夢鷗晚年自訂稿①」除「修訂版（再）序」「寫在前面」一如藝文版外，刪去「參考書目索引」。又將帕米爾版、藝文版原來列在正文後面的注釋，全部移在每章每頁正文後面，這對讀者閱讀來說，是相當方便的。可是爲何將那篇對讀者翻閱相當便捷的「參考書目索引」刪去，則不得詳知。而在前面增加林明德的〈自強不息的君子——王夢鷗先生〉和王夢鷗教授的新〈序——文學定義之一考察〉兩篇長文，而前者對認識王夢鷗教授其人其事其書的讀者應有相當裨益。時報文化的「中國文學理論與實踐」一九九五年十一月初版，也是平裝本，定價新台幣三五〇元。

以前，似乎大家很少提及挑一葦教授是他的學生。姚教授的「藝術的奧祕」目前可說是中文寫作文學、美學、批評等範疇的經典。他是王夢鷗教授任教廈門大學的學生，本來他是考取電機系，正逢抗戰，認爲電機沒啥出路，才轉到銀行系，來台後，任職於台灣銀行。他的夫人洪曉蘭是王夢鷗的親戚，出身中文系。而因爲姚夫人長相亮麗，社團排戲皆爭先恐後拉她贊助演出，而她一演戲，他就在旁，日後終結連理，而伉儷情深。姚教授任職台灣銀行期間，個人記不起從那裏報導，當時或許是因爲擔任或接觸翻譯的關係，才與戲劇結緣。這樣說來，他被國立藝專延聘講授戲劇、乃至美學、批評等課程，恐怕她的夫人長期潛移默化有相當關鍵性的影響。後來王夢鷗教授在木柵的政治大學中文系開授文學批評的課程，都必定推荐亞里斯多德的「詩學」，而早期傅東華翻譯的「詩學」在台又一時買不到，後來姚一葦翻譯出來，取名「詩學箋註」，可說是目前中文系所必備必讀的最佳參考書。王夢鷗教授，更稱讚姚一葦：「這個人很用功，極求上進。」而姚一葦教授幾年前因心肌衰竭不幸猝然遽歸道山，當時識或不識都無法接受那殘酷的事實。而今王夢教授又以九十多高齡離開人間。猶記得以前似乎大家都在期盼他的「中國文學批評史」能夠早日問世。想想他的晚年自定稿①的「中國文學理論與實踐」出版已經將近十年，卻沒有任何自定稿再出現，其他相關的著作，命運未來實在難以預卜。或許是個人對他兩人，既非門生，亦從未謀面，衷心懷念，突然想起陳之藩教授在一篇〈把酒論詩〉的悼文的最後幾句話：「『殘陽入崦嵫，倦鳥歸株薄』。有人說聽不太清楚，我又譯成了白話：『夕陽下山了，倦鳥回林了。』這個世界更寂寞了。」

「斯文掃地」

——鬻書記

一

論語子罕篇有云：「天之將喪斯文也，後死者不得與於斯文也。」案「文」原指禮樂法度教化，後世引伸爲知識分子的通稱。「文選」揚雄〈羽獵賦〉「軍驚師駭，刮野掃地。」「漢書」〈魏豹田儋韓信傳〉「秦滅六國，而上古遺烈掃地盡矣。」案掃地皆謂摧毀無餘。那麼「斯文掃地」到底是什麼意思，應是老嫗皆知，不言而喻。

鬻音育，「玉篇」曰：「賣也」。或作粥。後世有謂「鬻文爲生」、「賣官鬻爵」等。和「斯文掃地」比較，或許榮辱有程度的高下，但是恐怕也只是五十步笑百步。因爲不管「鬻文爲生」、「賣官鬻爵」，抑是「斯文掃地」，恐怕都是難登大雅之堂的不名譽事件。

二

一個知識分子，雖不必要嗜書如命，甚者變成「書痴」，但是購買幾本與本行有關的著作，或是幾本與本行無關的產品，恐怕也不是罪惡。因爲「書到用時方恨少」是老生常談。「書痴」恐怕就是俗稱的「書呆子」。既是「呆子」必定廢寢忘食，五穀不分，人事不知，嚴重的話，將會六親不認，個人既沒有緣份達到「書痴」，但是因爲唸的是中文，傳統又是文史哲的經典不分，除本行的著作外，諸如哲學、歷史，甚至科學等能夠調劑一年三百六十多天單調煩躁的產品，個人有類饕餮。不管三七二十一，來者不拒。雖然有汗牛充棟的書籍，有時不妨向親朋摯友誇耀如此可以增益本行學問的深度。有時心血來潮也不妨向同行的中文出身的顯示個人的學問是如何的淵博。因爲除本行外，有些與本行無關的，個人還是觸類旁通，深得其中三昧。當然任何人都有這種權利，因爲「文章千古事，得失寸心知。」而且一般知識分子又喜歡自鳴清高，說什麼三日不讀書，面目可憎。說什麼讀書可以改變氣質。其實這就像說讀書是如何的快樂等陳腔爛調一樣自欺欺人。個人就是現成的例子，服膺「書是現代人生活的必需品」的明訓，於是爲「博覽群籍」，爲「獵取新知」等目的。從開始讀書識字以來，陸續購買本行的著作，外行的產品，到底有多少卷，多少本，如果不是因爲這次「斯文掃地」的鬻書稍加粗略的估計，個人藏書的數目恐怕永遠是一團迷霧。

三

也不知從什麼時候開始玩弄「賫字療肌」的工作，於是變本加厲，報章雜誌等傳播媒體便來者不拒的湧進個人僅僅夠存容身的「書齋」。有人戲謔直呼「書齋」爲「書災」，除諧音外，將「書滿爲患」，弄得雞犬不寧，大小埋怨的慘狀，血淋淋的一語道破。當然就是擁有大型圖書館般的藏書，如果不去閱讀，不去利用，那就變成一堆死亡的資料。（舞文弄墨的朋友稱爲「艷骸」）個人會「斯文掃地」的鬻書，絕不是譁眾取寵，或是危言聳聽，因爲個人一向我行我素，說幹就幹，縱然妻女涕泗滂沱也無法挽回我的決心。也許若干不明內幕的會追問：「老兄，是不是債台高築？」非常抱歉，個人雖然是喫粉筆灰的窮教員，個人雖然是「眼前一杯酒，誰論身後事」的唱和者，卻還懂得經濟學家強調的量入爲出。雖然年屆不惑，仍舊兩袖清風。可是卻從沒有卯喫寅糧的拮據。個人會「斯文掃地」的鬻書原因單純有如數學一加二等於三，個人夢想擺脫知識分子這個名稱的束縛。一般知識分子都有好高騖遠的通病，他們處於中堅的地位，於是如果陞遷順暢，自然高蹈揚厲。如果不幸淪落阻滯，便容易沮喪、徬徨，甚者憤怒。個人也算是屬於「難纏」的高等知識分子，曾經因爲某一理想遭受外界的打擊，幾乎走向精神分裂，甚至自殺的悲境。也許個人比較宿命，所謂「天無絕人之路」、「天道無親，常與善人。」因爲個人求卜問卦的結果，對方竟然斬釘截鐵地說：

「幸虧你碰到我。」、「幸虧你從小就沒有對不起你的家人親戚、朋友。」一場幾乎長達半載的噩夢，生命沒有被死神攫走，反而讓個人悟出一二生命的真諦。有人說：「百無一用是書生」洵非虛言。因爲一個渾渾噩噩的村樵，從來沒有聽說他會精神分裂，更不要說他會自殺。

四

個人「斯文掃地」的鬻書原則比數學一加二等於三的問題更扼要簡單。個人的藏書舊的全部捐贈圖書館，新的一律照價出售。目前「庫存」的可謂滿目瘡痍孑然無遺。除「出版月刊」、「文星雜誌」、「文學雜誌」、「純文學」、「文學季刊」、「書評書目」和殘缺不全的「現代文學」等定期刊物外，個人的書櫥（不是書齋）僅存幾本，書目如下：「昭明文選」（梁、蕭統）「文心雕龍」（梁、劉勰）、「荀子集解」（清、王先謙）和坊間曾發售目前不易收購的：「中國詩史」、「中國小說史略」、「中國文學史」（插圖本）、和「漢代學術史略」等七本古典論著。當代小說，個人擁有姜貴、張愛玲、司馬中原、朱西寧、白先勇、王禎和、陳若曦、陳映真、黃春明，張系國等人的作品約三、四十冊（書名繁複不錄），另外便是朱光潛的「文藝心理學」、王夢鷗的「文學概論」、姚一葦的「藝術的奧秘」和「文學論——文學研究方法論」（韋勒克、華倫著、王夢鷗、許國衡譯」和「實驗批評——文藝評論之研究」（I. A. Richards 著、徐進夫譯），「紅樓夢」（清、曹雪芹）和「戰爭與和平」（俄、托爾斯泰）的中譯本等七本。如果有人懷疑，為何僅僅精挑細選如此少許的書目，個人要言不煩的奉告，雜誌因為幾乎絕版，所謂「奇貨可居」。論著因為曾給個人精品細讀，或是等待未來研究，研究。

五

個人「斯文掃地」的鬻書，除書款有六位數目暫時保留外，似乎沒有其他秘密可言。個人才譾學疏，不敢說有什麼啓示後人的感想。個人又非年高德劭，更不敢滿口仁義道德，諄諄教誨晚輩。僅僅將以前比較年輕（有人說：「年輕的時候應去創造甜蜜的回憶。」）喜愛在序跋扉頁鈔錄偉人金玉良言，或是發揮個人「滿紙糊塗荒唐言」，因為時過境遷，事是人非，既無法分辨何者是金玉良言，何者是「滿紙糊塗荒唐言」，姑就治學、做人、愛情等抉取數則，也許可與後人晚輩彼此共勉。

一、治學要專精，也要通博。做事要謹慎，也要果敢。待人要寬厚，也要嚴正。

二、治學是一條艱苦坎坷的路，要有堅定的勇氣和興趣。沒有堅定的勇氣和興趣，未來的成就誰都可以去確定。

三、成功不是僥倖的，當夜晚別人甜睡時，他卻不斷地在攀登。

四、他發現人類學並非他的專長，因爲每次他寫的論文，老師都說不像「學術」作品，而像「小說」。

五、蠶食桑，而所吐者絲，非桑也。蜂採花，而所釀者蜜，非花也。少陵破萬卷書，取其神，而非囫圇糟粕也。

六、吵罵的後面應有學問，學問的後面應有能力，能力的後面應有德性、品格、操守，以及曾滌生所艷稱的「氣象規模」。如今反而是沉寂。

七、有人說英國人是學不像的。你學他們就很可笑了，要是真的學得像，就更可笑了。

八、以人爲可愛而我亦可愛矣，以人爲可惡而我亦可惡矣。東坡一生覺得世上沒有不好的人，最是他好處。

九、古今來，偉略雄才，無非執筆。天地間，清心樂事，還是讀書。

十、若爲一個女人而沈淪到難以自拔的地步，那對自己是一件無法彌補的損失。

十一、人生聚散皆如此，莫論興和廢。富貴如浮雲，世事如兒戲，惟願普天下做夫妻，都是咱共你。

十二、戀愛的人去赴情人的約會，像一個放學歸來的兒童。而當他和情人分別的時候，卻像兒童要去上學一般滿臉的懊喪。

右列有如「青年守則」十二條，似乎板起面孔的教訓或啓示後人晚輩，恐怕有些才高八斗的不肯接受，特再鈔錄數句中外警策之語，以贖罪補過。

一、喫飽八成飽、睡覺十分好，按部就班幹，聽其自然老。

二、一個人即使不識一字，也照樣可以做人。

三、文章還是少寫爲是，不寫更好。

四、活著輸給你，只有選擇死亡。

五、提到幽默，很多人以爲只是說笑話。

六、情到多時情轉薄，而今真個不多情。

七、情到深處無怨尤。（原文是 Love means not even having to say you are sorry）

八、If you see someone without a smile, give him yours.

九、Never too late too learn

十、The only really educated men are self-educated.

十一、The only foolish questions, the questions unasked.

十二、Time and tide wait for no man.（中譯是「歲月不饒人」）

六

我們目前沒有比攷試更理想的測驗評量方式，於是針對攷試命題的參攷書，不管托福，研究所，抑是等而下之的大學專科聯招等充斥「文市」（吳魯芹的話）。是幸抑是不幸，個人「斯文掃地」的鬻書書目琳瑯滿目竟然沒有一本屬於這類「揮汗應戰」必備的參攷書。個人既沒有那種「雄心萬丈，出入圖書館抱的挾的全是一大堆洋裝書線裝書，恨不得全啃了他們」的雄心。個人也沒有「一盞孤燈，一瓶殘酒，一卷破書相伴到天明」的閒情。個人更沒有那種「把酒瓶擲向藍天」的豪情和「吐出煙圈又把煙圈吹散」的灑脫。怪不得別人總再三指指點點：「你也懂得念書，怪。」個人這次「斯文掃地」的鬻書，是生命中的第一次，恐怕也是生命中的最後一次。既然鬻書是擺脫知識分子這種名稱的束縛，那麼攷試將變成夢寐以求的絕響。如果說拒絕攷試是「不食人間煙火」的話，個人願再不憚其煩的從序跋扉頁裏鈔錄有關攷試的二則金玉良言，一則「滿紙荒唐言」當爲本文的結語。

一、題目要認清，要點要述齊，說明要簡賅。

二、當老師須徹底又徹底，當學生得糊塗且糊塗。

三、蘇秦志氣不小／一心要參加大專聯攷／記得去年名落孫山之後／今年不能依舊／自今而後少貪玩來多唸書／免談保齡球／電影院少光顧／國文底子我夠／三民主義從頭讀／英數理化每門就加點油／細水長流／何須頭懸樑錐刺股。

情懷──「斯文掃地──『鬻書記』」

「斯文掃地──鬻書記」被退稿前，報章雜誌的主編婉轉函覆謬許爲「幽默詼諧」，但卻規勸如果在古稀年華發表，必可博取「大家一粲」。因爲在「如日當中，前途無量」的不惑之年，如果發表不但會引起震盪的副作用，而且是浪費才華。

發表不發表姑且不談，因爲那只是時間遲速的問題，不佞再狗尾續貂說幾件「斯文掃地──鬻書記」引起的聯想，企望能達到「幽默」的效果。因爲吳魯芹認爲幽默並非只是說笑話。什麼樣的談吐，什麼樣的文章才算幽默，可謂見仁見智，莫衷一是。林語堂曾爲「幽默」箋註爲：「幽默只是一位冷靜超遠的旁觀者，常於笑中帶淚，淚中帶笑。其文清淡自然，不以滑稽之炫奇鬥勝，亦不以鬱剔之出於機警巧辯。幽默的文章在婉約豪放之間存其自然，不加矯飾。」結果讓讀者「心靈啓悟，胸懷舒適。」，依林氏的尺度，目前文壇活躍的作家，恐怕相當難於登錄於「幽默」的英雄榜，區區譾陋如鄙者，更不必浪費筆墨再加解釋。

鄙者或許是肇因於先天的遺傳，或許是濫觴於後天的磨鍊，何時開始貪戀杯中物，目前恐無法詳細考證。聽說才子型的曾以「離騷」下酒。依鄙者揣測，才子並非窮極無聊，無錢購買菜肴，恐怕是名士氣派的誘惑與作祟。指天畫地咀咒，鄙者並非「畫虎不成反類犬」的冒牌藝術家。某日忽然心血來潮，萌生將班固（孟堅）的「漢書」廉讓的念頭。那時新式標點斷句的古籍，或是今註今譯的讀物尚未出現坊間，鄙者也跟著學院的潮流，看別人猛啃十三經，也沒有衡量個人的才具，便一窩蜂將十三經的經文箋注標點斷句，對錯多寡皆成明日黃花。那本「漢書」依舊歷歷牢記是武英殿版，廿五開咖啡色封面，新陸書局發行。摯友吳君素來頑固不化，是屬於「半部論語治天下」的擁護者，他一向覬覦鄙者的藏書，風吹草動，便央三託四商洽。除以幾乎不到三折的價格割愛外，他更固執無理的要求鄙者在扉頁註明某年某月某日因周轉不靈同意轉讓，絕無異議等語。一個讀書人講究氣節，恐怕也要在生活都毫無憂慮的情況下，才有機會去追求。一位頗負盛名的小說家不是曾經說過所謂「文窮而後工」，並不是窮得幾乎餓死，才能夠寫出好文章。「塞翁失馬，焉知非福」，鄙者的命運也有否極泰來的一天，四部備要的八冊一套的「漢書」、王先謙的「漢書補注」、楊樹達的「漢書窺管」……等一系列又整齊的出現在「去蕪存菁齋」。「去蕪存菁齋」是鄙者「斯文掃地」鬻書後，記其前後因緣而命名，何況「亞菁」又是鄙者的筆者。將鍾愛的藏書廉讓到底是真的周轉不靈，到底是酒蟲作祟，目前也無法詳細考證。可是面對那一系列依稀相識的叢書，免不了激起惝然的惘然，曾經有人以「你注意我時／我不在意你／ 但／當我回頭的時候／你卻已經走了」乾淨俐落的勾繪惘然的心境是如何的寞落，如何的悵惘，如何的難料。

另一件讓鄙者惘然的是因贈書而引起無謂的風波。「以文會友」的「文」曲解為「贈書」恐怕也無可厚非，況且又有「投以桃李，報以瓊瑤」的古訓，鄙者窮壞寒士，可謂與文壇絕緣。無因無故，某年暑假前夕也許是窗外的蟬聲噪耳，為抗拒外力的干擾竟驛馬星動，重拾「封劍」七年的禿筆，就杜氏托也夫斯基、托爾斯泰、屠格涅夫的小說中譯本而發牢騷，始非所料竟也一發不可收拾，承蒙文壇前輩謬獎與不棄，像王鼎鈞的「碎琉璃」、陳映真的「第一件差事」、隱地的「我的書名就叫書」、蔡文甫的「雨夜的月亮」……等都有作者的「墨寶」（親自簽名），不明就裏的鄙者還會向他們炫耀：「某某名作家是我的朋友」，語氣就像「我的朋友胡適之」一樣的趾高氣揚。但是「人有旦夕禍福」，所謂山路走多，終會碰到老虎。鄙者的初戀的坎坷崎嶇尚在其次，那種好像泡沫的幻滅才讓人扼腕難耐。所謂「既然相愛，就應該互相信任。既然心許，就不該懼怕任何壓力。」所謂「如果環境可以改善，我將克服環境。如果環境不可變更，我將學習忍耐。」彼此曾經相愛，彼此曾經相許，也試圖去克服環境，也試圖去學習忍耐，可是最後勞燕分飛竟走向「要愛，便要愛得淒楚，如果不能愛得華麗的話。」的慘境。誰是誰非留待時間去證驗。那次意外的無謂風波是自作多情的最佳寫照，因為舞文弄墨，有時報章雜誌，除稿費外，另外贈送期刊叢書，如果比較功利眼光的話，縱然訂有期刊、購有叢書的話，不妨依斤計價將別人贈送的期刊叢書兜售。鄙者向有「人溺己溺，人飢己飢」悲天憫人的胸懷，不忍暴殄天物，竟無知的要求將他們贈送的期刊叢書轉寄給初戀的情人。也許因爲嚮往「不懂得幸福，所以幸福」的琢樸，竟一而再再而三的重施此技。恐怕不是對方心情惡劣，而是鄙者自作多情，不可收拾的無謂意外風波終於揭開序幕，當然只有序幕，而沒有「鼓掌，朋友／喜劇已經完結」的局面。

事情清清楚楚記得，窗外還是蟬鳴震耳，電話突兀猛響，惺忪睡眼半睜半閉，「喂，那一位啊？」「知道我是誰嗎？」「實在聽不出來，很抱歉。」「再仔細想一想？」「請問你是××。」……「總算你還記得，以後請不要再寄期刊叢書給我。」「沒問題。」豈知對方毫無預警突兀冒出「你好卑鄙、你貪慕富貴」的話，讓鄙者怔愣半天，電話聽筒差點滑落，等稍定神一聽，對方掛斷線路。個人是不是卑鄙，是不是貪慕富貴實在沒有必要計較，因爲親友自然會有定評。倒是這種丈二金鋼摸不著頭的評語——尤其是曾經相愛，曾經心許，而且是彼此死心蹋地的，真讓人嗒焉惆悵。知道對方愛書，知道對方善良，送書給對方，答應對方不再送書，應是無可厚非。況且分手七年，安分守己沒有信函往來，從無罪惡感。唉，說來話長，「人生什麼都能夠看得透，只有戀情是參不破的。什麼都很容易志得意滿，惟有戀情卻終似明月般的易缺難圓。」有人自我安慰說殘缺才是一種美，其實這就像說：「讀書最樂」是一種自欺欺人的異曲同工。記得有位年輕的印度詩人，娶位當他的祖母綽綽有餘八十高齡的終身沒有出閣的新娘。記者追問她對這種黃昏的姻緣有何感觸。對方毫不矯情像影星的搔首弄姿，她只是輕輕的回答：「我不知道與丈夫共同生活會有什麼意義。依我的年齡而言，如果快樂，只快樂一段短短時間，萬一不快樂，也不會痛苦太長。」怪不得有人會浩歎：「對酒當歌，人生幾何？」怪不得有人將生命比喻爲白駒過隙。既然生命如此短促，我們將「青春不是一段時光，而是一種心境」奉爲座右銘，享受人生才不致芳華虛度。

有人說英國人是學不像的，你學他們就很可笑了，要是真的學得像，那就更可笑了。「幽默」又何嘗不是如此，不是人人能說，不是人人能寫。像蘇格拉底遭受悍妻無理咒罵奪門而出，又被潑盆冷水，在如此尷尬的局面，他卻不以爲忤，不疾不徐容忍地說：「雷霆響後，必是傾盆大雨無疑。」如果沒有像蘇格拉底的學養、修行，而勉強要西施捧腹，東施效顰，那就難免會「畫虎不成反類犬」。李白所謂「人生得意須盡歡，明朝散髮弄扁舟」。在台下看別人領獎，那一個不會暗自歆羨，祈望將來也有機會輪到自己上台領獎。沒錯，在眾多羨慕的眼光、鎂光燈閃射，確是無幸榮耀。可是領獎下台後是不是味同嚼蠟呢？領獎也只是台上台下走一趟，所謂光榮歡樂本來都是很短暫的。其實隱藏在人生背後的舞台，又何嘗不是如此。不管你願不願意聆聽「喜怒哀樂原是假，思慕貪求總因痴」的老生常談，不管你願意不願意接受「富貴榮華有如夢，枯燈老屋伴殘年」的陳腔爛調。你卻無法否認人生的最高境界是「淡泊明志，寧靜致遠。」最後畫蛇添足以詩人戴天的「聽佛有感」作結。

千山的楓葉已落
仍然瀟洒似禪
踏風而立

從煙雨中來
仍從煙雨中去
雲靄裏但見
無聲的華朵悠悠
傳入聾的耳中

踏破的草芒鞋
沾著溶雪
問此刻路程遠近
而萬谷淡容
都在眼前

二〇〇五年三月三日這一天

二〇〇五年三月廿四日李家同教授的來信，除稱謂、寒暄、祝福外，僅僅有「來信及文章，我會好好地看陳先生的小說。」等十幾個字而已。讓人絕不懷疑他惜墨如金，他如何珍惜時間，又如何專注他的本行工作。信裏提及來信，指的是三月十七日去信說明三月三日彼此面談的點點滴滴。去信恰巧面談後兩週，來信恰巧去信後一週。信裏提及文章，指的是隨去信影印陳映真兄在一九六三年發表在「現代文學」十八期的短篇小說〈文書〉，約廿二、三頁。陳映真兄那年才廿七歲。距離一九六七年發表在「文學季刊」第三期的成名作品〈第一件差事〉僅僅三年多。不幸，一九六八年因案被捕，判刑十年入獄。

二〇〇五年三月三日短暫三四十分鐘面談前，對李家同教授的印象，都是來自他的幾本暢銷書——「讓高牆倒下吧」（一九九五年初版）、「陌生人」（一九九八年初版）、「幕永不落下」（二〇〇〇年初版）、「鐘聲又再響起」（二〇〇二年初版）。短短六七年，就一個不是專業作家，寫出如此多的小說、散文，其他相當多的時論短文尚未列入（詳後），而且幾乎本本暢銷，與那些低俗所謂描繪枕頭拳頭的言情武俠小說、動輒銷售百版天文記錄，竟不相軒輊，實在是讓人不敢相信的異數。而且他的小說、散文幾乎都發表在聯合報副刊，時論短文都發表在聯合報民意論壇。除「幕永不落下」不知爲何讓未來書城出版外，其餘三書全由聯經事業出版發行。

二〇〇三年秋暮，某日某月已無法確定，個人曾不揣譾陋，而冒昧將二〇〇一年十月由人間出版社發行，聯經事業總經銷的拙著：「古籍校釋、今註今譯評介論集」郵寄奉上請他指正，另外在信裏特別請他將在聯合報民意論壇的時論短文蒐集整理付梓。他的時論短文，包羅萬象，或許酷愛的讀者群眾，並不少於他的散文、小說數目。其實在二〇〇〇年初版的「幕永不落下」的輯三——學問是商品嗎？輯四-打倒了稻草人，每輯剛巧十篇，兩輯合計廿篇的時論短文，幾乎全部發表於聯合報的民意論壇，或〈微風細雨集〉專欄。唯一例外的是輯四的〈在竹東五餅二魚的奇蹟〉短文，粗估僅五〇〇字左右，卻發表在天主教的「台中教區月誌」。這就像「幕永不落下」的輯一——幕永不落下、輯二——命好、每輯剛巧八篇，兩輯合計十六篇的散文、小說，也幾乎全部發表於聯合報的副刊，或〈微風細雨集〉專欄。唯一例外的是輯一的〈鎖〉，粗估恐不超過一〇〇〇字，不管稱爲小說。或是散文都無關緊要，卻發表在「張老師月刊」。就輯一、輯二的散文、小說，和輯三、輯四的時論短文的篇數，發表園地並列比較來說，也許是編輯的匠心設計，但說是巧合恐亦非言過其實。

二〇〇三年十月十三日他的來信，除稱謂、寒暄、祝福外，亦僅僅有「對我來說，你的書太難，不過我仍好好地保存。我出的書太多，恐怕已經令人厭煩。最近期內，我不會出書。」等數語而已。就個人酷愛他的時論短文而言，他不出書的信息，帶來的正如一般「來訪未遇，悵甚悵甚」的遺憾。當時個人卻不死心，心想或許他實在工作忙錄，專注本行而無法分心，或許他實在厭煩俗事帶給他的困擾等等理由而謙虛搪塞。日子就這樣一天一天的過去，個人亦因爲負責事雜心煩的校務工作，猶晝夜企盼他的時論短文能早日結集出現。皇天不負苦心人，二〇〇四年春夏交替的四月，他的「一切從基本做起」突然出現坊間書店。讓人詫異的，竟然不是由幾乎全部發表在聯合報的民意論壇聯經事業出版發行，這個原因就像「幕永不落下」讓未來書城出版，帶給讀者多種揣測與費解。「一切從基本做起」改由圓神出版社發行，列爲圓神文叢〇〇六。全書二三五頁，除代序〈不中聽的話〉，前言〈一切從基本做起〉外，收有輯一——救救弱勢的孩子、有七篇。輯二——別讓孩子放棄英文、有五篇。輯三——社會與教育密不可分、有八篇。輯四——所謂大學，何也？有五篇。輯五——教改嘉惠菁英份子？有五篇。輯六——經濟要從小處著手、有八篇。輯七——科技必須從基本開始、有六篇。輯八——不要再讓孩子哭泣、有三篇。八輯合計將近五十篇。雖然這些時論短文，在民意論壇發表時，個人幾乎都曾拜讀，亦不時翻讀浮貼剪報。當時心喜若狂購回，利用周休二日從頭到尾逐字逐句逐頁讀完，心情就像個人對鍾愛的陳之藩、陳映真的散文、小說，每隔一段日子，再讀一遍，每遍雖感受不一，而內心浮出的喜悅卻總是一樣。而「一切從基本做起」裏將近五十篇的時論短文，從目錄的頁數，可以看出類似讀者投書，文字多寡差距有限。而唯一與「讓高牆倒下吧」、「陌生人」、「幕永不落下」三書非常明顯差異，每篇時論短文，不再出現聯合報的民意論壇，抑是〈微風細雨集〉專欄的字眼，這就好像「鐘聲又再響起」將近廿篇小說、散文，亦不再如前列三書，文末皆有聯合副刊（或簡稱聯副）的字眼。而僅僅在〈幕永不落下〉、〈棉襖〉二篇文末列有：「本篇原收錄於『幕永不落下』（未來書城出版）」的字眼。而原來收在他的「讓高牆倒下吧」的〈車票〉、〈來自遠方的孩子〉、〈我已長大了〉三篇和原來收在他的「陌生人」的〈李家村〉、〈苦工〉、〈考試〉三篇，和另外他的新作從〈上帝的語言〉到最後的〈小男孩的爸爸〉等十幾篇，文末亦皆沒有聯合副刊（或簡稱聯副）的字眼。這種情形，依一般常理粗淺經驗揣測，應是基於版權的設計。

二〇〇五年三月三日那次短暫的面談前，何月何日已無法確定，個人曾去函請他撥冗讓個人見他一面的心願殷切早日達成。日子也一天一天的過去，卻始終都沒有音訊。期間，個人負責的學校曾在國姓鄉泰雅渡假村舉辦類似冬令營大型活動，兩天一夜，結束歸途，曾偕內人亞菁欲去暨南國際大學拜訪他，後因一則事先沒有連繫，恐冒昧而不禮貌，再則正逢周休二日，或許他不在校而留在新竹，思之再三而作罷。皇天不負苦心人，二〇〇五年二月下旬，突接到有位陌生小姐來電（後知是他的助理李秋玫）告知李家同教授在暨大授課工作空檔，欲安排彼此見面。一則他是長者，再則是個人的要求。個人請她轉達一切尊重他的決定，三月三日那次短暫三四十分鐘（約十點卅分到十一點十分）的面談就此敲定。見面前的日子，個人一再思索面對長者應該談什麼才算得體。尤其個人年屆耳順，他將屆隨心所欲不踰矩。思之再三，李家同教授既然那麼喜歡閱讀，而閱讀興趣又那麼廣泛，個人蠅附驥尾平日亦稍喜涉獵，決定就閱讀旁及其他而切入。三月三日乃偕內人亞菁約八點左右，開車從東西向快速道路轉入中二高，再下草屯交流道。天空相當陰霾，落雨時續時斷，忽大忽小，到達暨大陰雨仍舊緜緜。蜿蜒幾個曲折轉彎，暨大海闊天空，綠草如茵的校園豁然在目。突然讓人想起陳之藩的「旅美小簡」、「在春風裏」的散文在風靡多少讀者戛然收筆，多少讀者望眼欲穿不知多少年，而在一九六九年秋暮，他的「劍河倒影」首篇〈實用呢，還是好奇呢？〉出現在中央日報副刊，讀者爭相傳誦盛況，又一幕一幕浮現目前，清澄的河水、碧綠的橋樹，崢嶸的樓頂，如茵的草地、不朽的藍天、瞬逝的雲朵似乎全部剎那湧進心懷。依照校門傳達室管理員指示，將車直接開往李家同教授辦公的大樓。車窗外陰雨仍舊落著。細思再三，為面談氣氛營造，亞菁亦認為個人獨自前往比較貼切。因為陰雨不斷，她暫留置車裏，個人獨自撐傘，步向見面地點。彼此交換名片，李家同教授就像個人不知從那裏報紙剪來的照片裏的他一樣自然。那張照片旁邊有四位年輕人，三男一女，似乎不是媒體記者，就是學生，當時他亦身著白色夾克，沒繫領帶，兩手插進西褲口袋。他面對那張照片頗顯詫異，似乎奇怪那有收藏別人，且是陌生人翦影。僅微笑說，那是台大校園，個人仍舊要抄錄他人的語句，「神情愉快而自然，語調悠閒而低緩。」提及台大，讓人猛然想起那是一九九九年九月廿一日埔里因為地震嚴重受損，他是暨大校長，為全體師生安危，決定暫時遷往台大安置。而地方鄉紳，特別是民意代表，指責他不發動師生協助搶救災情，竟然自私落跑。利用輿論媒體施壓，教育最高當局似仍如一向順應民情的行政風格，沒有任何預警撤換校長。猶記得他當時默默接受，應該是欣然的，沒有看到他有一絲一毫怨懟的動作。個人當時直覺靜宜大學為何聘請他當校長。教育最高當局如果不是肯定他辦學績效，為何又禮聘他來暨大掌舵。

二〇〇五年三月三日那次短暫的三四十分鐘的面談，事先既沒有設定任何主題，說是天南地北並不誇張，個人奉上一九八三年二月東大圖書出版、三民書局經銷拙著：「現代文學評論」請他指正。廿幾年前青澀幼稚舊作，紙張泛黃，他微笑翻翻。個人特別指出〈試評陳映真「第一件差事」〉和〈一則故事兩種寫法——以陳映真的「唐倩的喜劇」和七等生的「期待白馬而顯現唐倩」為例〉兩篇有關陳映真小說的評介，並提及附錄：〈外行〉裏有關陳之藩散文的點點滴滴。他微笑點頭，不發一語。二個月就這樣過去了，個人永遠記得那次面談，幾乎都是他問我答，他問簡短幾句，我卻滔滔不絕長編大論，今日後悔不知他會不會怪罪個人不禮貌，而又急躁膚淺。除少數幾個相關瑣事，如他仍獨自從新竹開車大約兩小時來暨大，如天主教的彌撒比基督教嚴肅、如醫生有告知患者病名的義務、如學者務必純正（即不當官）

等等。他的身材不是高大魁梧，看來卻相當硬朗，不然依他年將屆七十高齡，那裏還能長時遠程獨自開車。陳映真兄是基督徒，他認爲個人長期心煩慮亂影響健康與寫作，曾一再敦促建議個人不妨假日多進教堂讓肅穆氣氛感染，並非要接受教義。個人一九八〇年左右一場幾乎自戕莫名疾病，雖終生感謝主治醫生她的醫德，她卻不告知個人病名，僅一再強調這種病患一般追求完美，而且絕對的，且這種病患比較聰明等不切實際抽象語言描繪。學者必須對本行專注，個人曾多次提及惋惜有人頗富才情少負盛名，不知珍惜，被名利所困。似乎都強調四十歲以後（意思是名利雙收），才要回歸專注本行。可是四十歲以後仍寫那些譁眾取寵鄙俗厚利的東西，有人竟然廿幾年都沒有本行嚴肅有份量著作論文發表。李家同教授對這種現象，似乎也相當關切認同。而後話題轉到閱讀的主軸來，他提的作家如王文興、楊牧，我提的作家陳映真，似乎年齡都相當接近，與他亦差兩三歲而已。他說王文興的「背海的人」似乎看不懂，這或許是謙虛客套，當時個人毫不思索又不禮貌表示很多讀者都有類似的感覺。有而在「背海的人」（一九八一年四月初版）前約十年左右的長篇小說「家變」便毀譽參半。有人稱讚他的更新語言，語言精確、筆觸細膩含蓄等殊多創獲，更有人直指「家變」是中國近代小說少數傑作的一種。而詆毀他的亦不在少數，認爲他僅是掇拾當時西方流行現代主義、意識流手法大家如「尤利西斯」的作者詹姆斯・喬伊斯、如「往事追憶錄」（彼岸譯爲「追憶似水年華」）的作者馬賽爾・普魯斯特等人牙慧而已。其實被指責的小說家並不僅王文興，就像水晶的「青色的蚱蜢」（幾乎將近廿年後易名為「沒有臉的人」）雖亦贏得無數的掌聲，而被鞭撻體無完膚的命運，當時亦無法僥倖避免。當時個人急躁膚淺的建議，李家同教授不妨閱讀王文興的早期舊作「玩具手槍」、「龍天樓」兩本短篇小說集（今合訂為「十五篇小說」問世），對於涇渭分明、大相逕庭的爭議來龍去脈，也許能夠得到比較合情合理的答案。而陳映真的小說是個人主動提出的，他還是微笑點頭，不發一語。我竟然忘記今日坐在面前是個人景仰的長者，而陳映真對個人一生的健康與寫作的關注，無法形諸筆墨。個人前曾提及一九八〇年左右，被莫名疾病所困幾乎長達半載而自戕。陳映真因為他的特殊背景，他的小說是被查禁的，（即使「將軍族」出版沒有多少亦被查禁）。因為他的〈文書〉、〈淒慘的無言的嘴〉、〈賀大哥〉等篇都曾描繪精神病患的故事，而情節又如此悽楚迷人。而個人承蒙蒼天厚愛不棄，病癒後，為一睹陳映真的手采，參加個人一生唯一的「第三屆鹽分地帶文藝營」活動。廿幾年來，陳映真一直關注個人的健康，即使近年他的健康也亮起紅燈。幾乎每次北上，或公或私，事畢必前往拜謁並聆聽他的諄諄教誨。個人每隔一段日子必定抽讀他的小說。記得有次曾當面提及他的小說場景，有幅電扇午後懶懶吹著，有隻蒼蠅在旁兀自飛著的畫面。個人幾次閱讀都無法了解，他為何寫這種與故事情節風馬牛不相及的東西。想不到他竟誇譽個人是閱讀小說少見精細讀者，然後不疾不徐笑笑說，那僅是提供讀者暫時緩和閱讀情緒，意思是讓讀者休息，並無深意象徵，與小說情節發展全然無關。而在另次場合，個人亦無意提及〈文書〉絕不比他的成名作品如〈第一件差事〉等篇遜色，而且卅歲不到，怎能創作出如此背景的小說。想不到他亦誇譽個人是少見喜歡〈文書〉的讀者，他也相當酷愛自己那篇小說。後來從他以許南村筆名寫的自剖〈後街——陳映真的創作歷程〉裏獲知一九六三年的〈文書〉和一九六四年膾炙人口的〈將軍族〉，都是他在一九六二年服役期間，軍隊裏「下層外省老士官的傳奇和悲憫的命運」震動他的感情，讓他深入體會國共內戰和民族分裂的慘痛歷史，如何對那些外省農民出身的下層老士官「殘酷的撥弄」。〈文書〉和〈將軍族〉都是這種體會的直接間接產物。說到楊牧的作品，個人自認對當代新詩不懂，亦非謙虛客套，真的無法如小說、散文般品味，進而分析彼此優劣良窳。也有蒐集幾種名家的詩集，也曾逐字逐句逐行細嚼誦吟，卻始終停留在入門階段，而無法進入作品的堂奧吮吸其菁華。並班門弄斧提及拙著「現代文學評論」裏，評介的幾乎是小說、散文。唯一的有關新詩的剖析，便是〈從「抒情」到「敘事」——楊牧（葉珊）作品的綜合考察〉。猶記得當時個人剛屆而立的年紀，斗膽寫五六千字的長文，今日再重讀汗顏不已。如果記憶無訛，楊牧剛出文壇的筆名，就是葉珊。而且他的「葉珊散文集」當時是文星書店發行。列爲當年社會風靡一時的文星叢刊。今日詳細檢視，那年同時出現的趙雲、康芸薇、劉靜娟、江玲、曉風、邵僩、隱地、舒凡的作品幾全是小說，且不少是女性，唯一的散文集便是本名王靖獻的作品。而除曉風後來寫出不少贏得讀者掌聲的作品，多數是散文，亦偶有小說、戲劇，似乎沒有新詩。隱地本名柯青華，雖日後亦不斷有作品出現，似乎讀者反而肯定他的經營爾雅出版社的成績。其他幾位當時頗獲讀者青睞的，今日幾乎少在文壇露臉，像康芸薇亦沉寂多時，偶而在聯合報副刊的極短篇出現。這種情形卻與時隔多年，文星叢刊同時推出的吉錚、孟絲、白先勇、王文興、水晶、歐陽子等人的短篇小說集呈現明顯的對比。如果文壇報導無訛，除有人不幸往生，有人不幸眼疾，姑不提王文興、水晶、歐陽子等人，白先勇那時短篇小集是「謫仙記」，後來易名為「寂寞十七歲」，而後「台北人」、「孽子」的問世，奠定他的文學史地位，他的「台北人」系列作品被視為經典。隨後一波一波湧現的作家、作品、如果才情、努力不是相當突出超邁，短期要凌越白先勇的「台北人」恐怕相當不易，這種想法恐怕一般都承認。而陳之藩教授是在那次短暫面談，個人最後提出的。一則他的專業，與李家同教授都是電機的。就像以「地」、「棋王」等小說成名的張系國，他的本行也是電機的。收在拙著「現代文學評論」最後的附錄：「外行」一篇，也是廿年前青澀幼稚舊作，除陳之藩、張系國外，還提到原來也是唸電機工程，後來轉攻銀行課程的姚一葦教授，他終身服務金融界，可是他箋注亞里斯多德的「詩學」，他的「藝術的奧祕」及對戲劇、美學的造詣，除少數本行的學者外，要超越他的成就亦非易事。提及陳之藩，個人實在慚愧，因為四十年前，也就是一九六五年剛北上當大學新鮮人，同窗有位不幸罹患鼻咽癌僅唸一年就撞車自戕的洪姓友人，介紹文星書店出版他的「旅美小簡」、「在春風裏」二書，且非列為袖珍型文星叢刊，二書皆僅薄薄百頁左右，在篇末註明日期竟是一九五五年，也就是十年前的作品，想想陳之藩那時才幾歲。而後有幾年讀者望眼欲穿，都沒有他的踪影。猶記得一九六九年秋暮，他的「劍河倒影」首篇〈實用呢，還是好奇呢？〉出現在中央日報副刊前，他僅在林海音女士創辦的「純文學月刊」創刊號及第二期，發表以「西窗垂柳」專欄之一、之二的〈垂柳〉、〈熊〉兩篇散文。（後收入他的「一星如月」）兩篇散文文末皆列有「一九六六年十一月於休斯敦」字眼，從此就沒有之三、之四的續筆，也不知是何原因，似乎他也從來沒有提過。而在兩篇散文裏他一再提及的「如姐」到底是他的什麼親友，至今個人仍不知道。而收在「一星如月」的作品發表時間（一九六六—一九八四年）前後竟然相距將近廿年。他的近作「散步」出版於二〇〇三年，與「一星如月」前後相距竟然亦將近廿年，雖或是巧合，他的惜墨如金就不難想像。那次面談，個人主動向李家同教授提及，希望透過他的介紹想去拜訪陳之藩，就像個人一直想見他的心情。他僅微笑告知陳之藩夫人童元方女士在香港中文大學任教，其餘他就一無所悉。個人在「散步」的序文（文末列有「二〇〇三年七月十二日於香港」字眼）曾見到陳之藩提及「去年，又回到香港的中文大學」幾字，似乎他亦在香港。個人無意提及陳之藩收集在「散步」有多篇楊振寧、李政道獲得諾貝爾獎的恩怨分合情仇。李家同教授亦僅微笑反問個人，他到底靠那一邊（沒有使用祖護刺眼二字）。當時個人相當詫異驚慌，心想他是長輩，陳之藩又長他至少一齒年（即十二歲），而且他們兩位長輩又是電機專業同行，豈敢信口雌黃，胡言亂語，僅僅莫名其妙的提起陳之藩對江才健寫的「楊振寧傳——規範與對稱之美」，竟然將傳主（楊振寧）的字也沒有搞個清楚，似乎有不負責的慨歎，當爲對長者的敷衍搪塞，今日想起實在膚淺狂妄無知。再翻閱出現在「散步」（頁四〇）他在提及這件事後，結束的文字是這樣的：「有些像，雖不出來，也許不是壞事。有些傳，寫不出來，也許也不是壞事。」今日細想，如果那次那麼寶貴時間，個人不那麼無知提及那件毫無意義的無謂話題，而改說個人終生最服膺陳之藩的「科學有什麼用？教育有什麼用？法律有什麼用？醫學有什麼用？工程有什麼用？文學有什麼用？哲學又有什麼用？除非你有一付熱愛的心腸。世界上最重要的事是愛。沒有愛，是不值得一活的。」也許李家同教授聽後，會露出如陳之藩讚譽胡適之那種「哲人的微笑」。雖然僅僅三四十分鐘短暫的面談，雖然一者已屆知天命，一者將屆隨心所欲不踰矩，個人卻突如其來想起陳之藩一九四七年將近六十年的往事。他唸北洋大學電機系二年級，忽然考取清華大學一年級的哲學系，家裏掀起軒然大波。他的父親、他的朋友堅決反對，輪流說服他不要改系。他是因爲悲觀而又愛國的理由而要轉唸哲學系。當時困惑去拜謁名重一時的金岳霖教授。他對陳之藩說：「悲觀是看到一套價值形將消滅，要設法保存，覺保存之無法乃感悲觀。」更強調「哲學是不能救國的。」陳之藩直覺自己心中構架樓閣、建造亭台被金岳霖教授的話，像半空忽起風暴，而後四面八方倒塌，使他腳根落空，昏沈退出，又昏沈再回到北洋大學。當個人走出李家同教授辦公大樓，細雨停了，不再陰霾，卻是萬里無雲，藍天如洗。

「文心雕龍」新書、校證、校正的始末

一九七〇年九月一日台北宏業書局出版的「文心雕龍新書」，掛名爲王理器校箋，其實與一九八二年四月台北明文書局出版的「文心雕龍校證」校注者掛名爲王利器，雖然書名、作者彼此不同，卻是同一本書。可是前者十六開本，橫式排印，正文一三〇頁。後者廿五開本，直行排印，正文三〇二頁。兩者皆是平裝，前者定價伍拾元，後者定價壹佰伍拾元。前者有「版權所有、不准翻印」的聲明。後者亦有「版權所有、翻印必究」的字眼。到底誰是本尊，誰是分身，眼細讀者心知肚明。這就類似有兩位政治人物，相互指責對方是禍國殃民的始作俑者。而客觀的媒體評論專家毫不心軟直下斷言：「都是罪人」。今擬就個人多年來研讀「文心雕龍」的粗淺經驗，比對參照，將兩者或是無心照錄、或是有意竄改，稍加敘述說明，也許對有心鑽研的讀者不無小補。

不管是「文心雕龍新書」抑是「文心雕龍校證」在正文前都有篇長達兩萬餘言的序錄，這是讀者必須逐字細讀，覃思再三，爲讀者研習「文心雕龍」解決疑難有相當的貢獻。彼此對照後，不難發現文字有小部份竄改。而在文末部份卻有相當大更易，這個問題暫且擱置，留在最後說明。而在「文心雕龍校證」序錄最後標出「一九五〇年一月三十日初稿。一九七七年十月一日定稿。利器識。」這個相當關鍵的地方，卻被「文心雕龍新書」刪除。而在序錄前增加「出版說明」，大意是說命名爲新書取法劉向。凡是曾經劉向校定古籍，俱名新書，猶六朝、唐人所謂定本等等。「出版說明」不管出自何人手筆，雖然短短伍佰字左右，卻有兩處很明顯竄改，一是范文瀾改爲范氏，一是王利器改爲王理器。不佞揣測「文心雕龍新書」直接從海峽彼岸影印。礙於當時尙未解嚴，不得不如此稍動手腳，用心可謂良苦。非常遺憾卻被「文心雕龍校證」刪除。俗謂合則兩美，或許這是最好的證明。

不管是「文心雕龍新書」抑是「文心雕龍校證」正文後面都列有附錄。將正文彼此對照後，不難發現兩者校箋、校注似乎沒有多少差異。校箋、校注每篇條目文字多寡相當懸殊，多者高達八九十條（如史傳篇）、寡者亦有不足十條（如物色篇）。個人粗略統計，校箋、校注幾乎超過半數條目文字多寡全部沒有更易。而有增列的條目亦僅一條兩條，最多不超過四條（如才略篇）。而且增列的幾乎都是依據王惟儉本及何焯的說法。其他如日本刊本、馮允中本皆僅寥寥幾條。姑且舉最多四條增列的文字如後。（五）何云：「『標』下疑脫『著』字。」（二〇）何云：「『向』字疑誤。」（三二）『亂』王惟儉本作『辭』（三六）『風』王惟儉本作『諷』。而比較特殊的情形，卻有兩處，且該篇皆僅增列一條（一是銘箴篇，一是指瑕篇）前者增列的文字是這樣的：『（五七）御覽「矢」誤「天」，尚書盤庚上「出矢言」、僞孔傳「出正直之言」，此彥和所本。』後者增列的文字是這樣的：『（二一）「儔」原作「疇」，日本刊本作「儔」，案文選西京賦：「迺使中黃之士、育獲之儔。」字正作「儔」，今據改正。惟薛綜注無「閹尹」之說，或今本注爲李善所刊落也。』

「文心雕龍新書」在正文後的附錄有六種，分別爲（一）著錄、（二）序跋、（三）雜纂、（四）原校姓氏、（五）王惟儉訓故本校勘記、（六）楊明照梁書劉勰傳箋註，約五十多頁。而「文心雕龍校證」的附錄，僅有前面四種，後面（五）（六）兩種卻被刪除，沒有說明刪除的理由，頗讓讀者納悶不解，約六十多頁。（因爲排版關係，頁數多寡與文字總數沒有什麼絕對牽涉。）筆者將兩者彼此對照後，發現附錄（一）著錄、（四）原校姓氏兩篇，沒有任何增減更動。而（二）序跋、「文心雕龍校證」比「文心雕龍新書」多兩種，分別爲明謝兆申「刻批點文心雕龍跋」及日本岡白駒「刻文心雕龍序」。而在文末附註增列兩條，分別爲（二二）據天啓二年梅子庾第六次校定本及（三七）據日本浪華書肆文海堂刊本。而（三）雜纂、「文心雕龍校證」比「文心雕龍新書」也多兩種，分別爲唐盧照鄰「南陽公集序」及清沈叔埏「文心雕龍賦」。文末附註卻僅增列（一七）一種言「文心雕龍賦」是據「劍舟律賦」卷下而增列。而對「南陽公集序」，附註卻沒有提及引書依據版本云云。

「文心雕龍校證」將「文心雕龍新書」附錄（五）王惟儉訓故本校勘記、（六）楊明照梁書劉勰傳箋注兩種刪除，遍尋兩書皆未見作者說明理由。今再詳細檢視兩文，個人僅憑私意推測，作者或許是認爲兩文皆僅是他人篇章，雖說前面四種附錄，也僅是掇拾蒐集他人的作品，畢意曾經作者細心審慎斟酌。至於梁書劉勰傳箋注，「文心雕龍新書」在一九七〇年出版時，在附注（一）說明該文見一九四一年燕京大學文學年報第七期。合理推測，或許當時楊明照的「文心雕龍校注拾遺」尙未問世，台北世界書局出版「文心雕龍校注」（刪除拾遺二字）時間至少晚一二十年。而在一九八五年五月台北崧高書社出版的「文心雕龍校注拾遺」正文後面附錄前面的「梁書劉勰傳箋注」大幅增添許多資料，可說面目全非，明顯應該是楊明照一九四一年的舊作。

爲讓這個問題有比較明確顯示，筆者再三不厭其煩，將台北出版日期相當接近的「文心雕龍新書」和「文心雕龍校注」逐字逐句彼此比對，發現兩者尙有不同地方，前面提及「文心雕龍新書」附注一：「見一九四一年燕京大學文學年報第七期」，不見於「文心雕龍校注」。且又增添三條附注，並加「器案」二字。除首條：「元王構修辭鑑衡二，引此文作『南朝劉勰』外，（案「校注」作：王構修辭鑑衡卷二引作南朝）其餘兩條引及的「高僧傳」、「續高僧傳」都是作者增添而不見於「文心雕龍校注」。抑有進者，「文心雕龍新書」都將「梁書劉勰傳箋注」裏帝王年號皆附加西曆，如永康（三〇七—三一二）、永明（四八三—四九二）等，讓讀者在時代先後有更明確的概念。而又有三四處正文或正文裏小字附註，不知是漏排或是有意刪除，分別是「且名儒之隱居京口講學者，先後有關康之、諸葛璩、臧榮緒諸家，流風遺韻，或有所受之矣。」——（以上略本范文瀾先生序志篇注說）。慧琳弘明集卷八音義云：「劉勰，人姓名也。晉桓玄記室參筆。」妄繫朝代，大謬。——釋道宣「續高僧傳」卷六釋僧旻傳：「（梁武帝）仍選才學道俗釋僧智、僧晃、臨川王記室東莞劉勰等三十人，同集上定林寺，抄一切經論，以類相從，凡八十卷。」（未審即就此役言否？）刪除字數粗計約二百字左右，而讓讀者更爲好奇的，卻在文末添補「操觚至此，不禁繾綣繫之！」十字，不知是原文漏排，抑是後來增添。另有一處亦不知何故，原文的「持論精深，組織嚴密」改爲「昭晳群言，發揮眾妙」。原文的「成爲文藝理論巨著」改爲「曠絕古今，衣被千載」。今再檢視一九八五年出版的「文心雕龍校注拾遺」，前者易爲「文理密察，組織謹嚴」，後者則隻字不存。至於其他，「甚」誤植爲「盛」、「撰」誤植爲「綴」等，終是無關緊要小事。

最後再回頭對照檢視那篇長達兩萬餘言的序錄，將「文心雕龍新書」與「文心雕龍校證」不同地方列出，或許尚無法解決疑難，多少對讀者或有裨益。前面提及「文心雕龍校證」序錄文末有「一九五〇年一月三十日初稿。一九七七年十月一日定稿。」再將楊明照的「文心雕龍校注拾遺」並陳看來，如果說一九五〇年的初稿或許就是「文心雕龍新書」排版依據的樣本，那麼「文心雕龍校證」便是一九七七年的定稿，這當然僅是個人直覺而無根據就時間先後的揣測而已，視爲唐突戲言亦不妨。首先就序錄附注共十六條，其中僅有一二兩條不同，附注一「文心雕龍新書」標出「見附錄六」，因爲該書附錄六正是「楊明照梁書劉勰傳箋注」的全文。而「文心雕龍校證」既然將該文刪除，只好標出該文出處「見一九四一年燕京大學文學年報第七期」。而就如前面提及「文心雕龍新書」揣測直接從海峽彼岸影印，礙於當時尙未解嚴，避人耳目，就像多處正文將敏感字眼，使用不同字體竄改實非得已。附注二「文心雕龍校證」的「據科學院藏明鈔本」裏的「科學」二字易爲「研究」。今檢視正文比較醒目的地方當爲參考，如「互相敵視」易爲「主客仇恨」，如「反應」易爲「表現」、如「反映」易爲「顯現」、如「范文瀾先生」易爲「范氏在開明本」（此條例有三處）等等可謂不一而足。其次：「文心雕龍校證」有多處將「文心雕龍新書」剔除，如「且看當時所謂過江名士的成份。」如「總之，劉彥和的一生，就是一個典型心理矛盾者的例子。」如「也正從此說明了劉彥和的階級立場，是站在沈約之流的階級的立場了。」如「爲爭取讀者對於我改定的地方起見，」如「我想這就讓黃侃復生，他必然是首肯而心服的。」等等或許可當爲作者對舊作的修改，認爲不必要而刪除。另外在校勘所據的版本，「文心雕龍校證」卻又比「文心雕龍新書」增列多種，分別爲（一）元至正十五年（一三五五）嘉禾刊本，每半葉十行，行二十字，上海圖書館藏。今稱元本。（二）明弘治十七年（一五〇四）馮允中刊本，每半葉十行，行二十字，北平圖書館藏。今稱馮本。（三）萬曆三十七年王惟儉訓故本，北平圖書館藏。今稱王惟儉本。（四）日本享保辛亥（一七三一）岡白駒校正句讀本，浪華書肆文海堂梓行，北平圖書館藏。

今稱日本刊本。（五）陳淮批校，孫詒讓復勘本。陝西師範大學藏。合計五種。而因爲增列日本刊本，於是將原本列在諸家轉引來原有的「日本鈴本虎雄校勘記引日本享保十六年（一九三一）岡白駒校正句讀本。今稱岡本。」剔除。而不管是附注裏有所更易，正文裏有所竄改，甚至字體不同。多處刪除，版本有增列，有剔除，因爲分散在許多地方，零零散散。如果沒有詳細逐字逐句比對，有時恐怕不易察覺而忽略。可是在序錄最後結尾卻有相當大的幅度，對舊作原本沒有的，增補將近一百五十字左右。而對舊作書名命定原有也約近一百五十字左右，卻刪略爲五十字左右而已。這就序錄二萬多字而論，顯然是比較特殊而罕見的。前者是有關〈隱秀篇〉因爲宋本缺一頁，引發明人鈔補僞作問題。這在「文心雕龍新書」與「文心雕龍校證」裏已有詳細的校勘說明，詳細比對，有二處都有「器案」二字明顯字眼，較舊作足足增列將近三百字左右。一處是引吳壽暘、拜經樓藏書題跋記四、一處是據曹學佺序刊本引朱鬱儀的說法。而在序錄裏，作者特再添進宋人張戒「歲寒堂詩話」、陳應行「吟窗雜錄」所引，認爲兩書「有爲今本所無者，實則都是〈隱秀〉篇缺頁之文。」且又斷定宋人林洪「山家清事」裏提及的「文心雕龍」以五月十三日爲生日，類似園藝家言絕對「非『文心雕龍』佚文。」至於後者的結筆，原本在「文心雕龍新書」有提及在序錄前面的「出版說明」，如劉向的所謂「新書」猶之六朝唐人之所謂「定本」，如校勘工作是從劉向打下來的基礎，就替本書命名爲「文心雕龍新書」等等，可是替「文心雕龍校證」命名的理由，作者說主要貢獻是

「蒐羅『文心雕龍』的各種版本。比類其文字異同，終而定其是非。」這也許就是序錄開頭所提整理該書的態度。

距離一九七七年的「文心雕龍校證」定稿，已經將近三十年。如果再將時間往初稿的一九五〇年挪前而計，顯然超過五十年而將屆一甲子的六十年。近日偶購得王利器前輩的「文子疏義」，序文末署爲「一九九六年三月十日曉傳老人識時年八十有四」。按該書彼岸中華書局二〇〇〇年九月出版發行。沒有想到二〇〇二年一月，巴蜀書社出版發行他的四鉅冊，超過三千多頁的「呂氏春秋注疏」，從該書前後獲知王利器前輩不幸於一九九八年駕鶴西歸。他在海峽兩岸三地出版幾十種的著作，被海內外譽爲「千萬字富翁」，尤其他從一九五三年起參加古籍整理工作，五十年來嘉惠學術界該是何等的偉大。而提及的「文心雕龍新書」、「文心雕龍校證」卻一律題爲「文心雕龍校正」。爲感謝王利器老前輩對古籍整理的貢獻，今再摘錄他的整理古籍的態度數則，爲本文的結束，也表示我們對他永遠的懷念。他說：「可用對校去解決的，就用對校法。可用本校法解決的，就用本校法。可用他校法解決的，就用他校法。不能乞靈上述三法，慎重用理校法。而靈活運用這些方法。凡字形相似而誤的便改正、字音相近而誤的便改正、一字誤爲兩字的便改正、上下文偏旁相涉而誤的便改正、俗書形近而誤的便改正，壞文形近而誤的便改正。顛倒的便乙正、脫漏的便補正，增衍的便刪定。這樣一來，凡是前人所未解或誤解的地方解決了許多，減少讀者困難。」

「昭明文選」校釋一二偶得

二〇〇六年二月二十二日午後二時，爲從事校釋「昭明文選」工作需要，多年來時續時輟，將「昭明文選」唐朝李善的注釋，從頭到尾逐字逐句披閱，今又閱畢一遍，到底是幾遍，如果不從每次閱畢後面註明日期詳細計算，恐怕沒有讓人滿意的答案。而李善注釋「昭明文選」一向與劉孝標注釋的「世說新語」、裴松之注釋的「三國志」和酈道元注釋的「水經」，被譽爲傳統古籍的四大名注。爲何說是名注，關鍵在他們注釋引及的書目，今日不少亡佚殆盡。而李善注釋的「昭明文選」所以較爲後人經常提及稱譽，除因爲另外三書注釋似嫌冷僻外，真正的理由不妨從鄰邦日本的漢學名家岡村繁的話窺知一二端倪，他說：「要使學生養成正確閱讀中國古典作品的習慣，具備恰切處理中國古典文獻資料的能力，掌握經史子集等範圍廣泛的古典知識，並且能練就研究中國古典文學的基本功夫，最有效的方法莫過於仔細考察，並透徹研讀『文選』正文及其李善注。」

爲從事校釋「昭明文選」工作需要，坊間相關專著論文亦不斷蒐集訂購。廿幾年前就曾購置今似已停業的漢京文化事業有限公司出版的古迂書院刊本「增補六臣注文選」，書後又附有徐陵編、吳兆宣注的掃葉山房本「玉台新詠箋注」．該書一九八〇年七月卅一日初版、十六開經裝本，厚厚將近一三〇〇頁，定價新台幣四五〇元。正文有斷句，注釋沒有標點。不知是何原故，個人詳細與李善注釋的「昭明文選」比對，知道多處都有相當的增刪，尤讓人遺憾的竟有幾處頁數誤倒，甚至全頁空白。多年來時續時輟披閱數遍，都特別在頁數誤倒地方，註明彼此如何更易銜接，如何跳讀。而空白仍一任其空白，而就個人所知廣文書局早在幾十年前就出版「增補六臣注文選」，可惜不但字如蠅頭，不說注釋沒有標點，連正文都無斷句，真讓讀者無法卒讀。購置多年皆束諸高閣，徒讓蛀蠹果腹。而華正書局卻在一九七七年三月推出李善注釋，標點索引附考異的「文選」，個人購置該書已是二〇〇〇年十月出版的，那已是二十幾年的後事。該書後面所附的索引，包括篇目、著者兩種。兩種皆依篇目、著者首字筆劃多寡排列，而後再附出現的卷數、頁數。讀者檢尋相當方便。另外又附有「文選」胡刻本與尤刻本異文。

回溯約四十年前，個人就曾購置一九六七年十月藝文印書館的「文選」〈附考異〉，版本就是今所見華正書局李善注釋，標點索引附考異的「文選」。當年或因就讀中文系，教授推薦指定爲參考書，猶記得當時不少豪氣干雲的學子砥礪發憤標點十三經注疏，那種輸人不輸陣、捨我其誰的激情，到底留下多少痕跡，相信任何人心知肚明。今日再檢視約四十前年藝文印書館的「文選」，正文、李善注釋、胡氏考異全無斷句標點，僅僅寥寥數處，或因選課需要，零落稀疏斑駁泛黃個人的斷句標點，極多篇幅仍任其經年荒蕪，今日憶起當年種種，實有不堪回首汗顏不已。其實約三十年前也就是一九七五年，河洛出版社李善注釋的「昭明文選」，廿五開精裝本厚厚兩巨冊一五四五頁，定價新台幣三五〇元，正文、注釋，考異全部都有標點斷句，當時應是劃世創舉，嘉惠學子功不可沒。惜因不是影印如藝文印書館、華正書局、廣文書局一般，而是重新排版，經個人幾次彼此比對閱讀，發現尚有多處誤植瑕疵。雖有稍許遺憾，對嗜愛李善注釋「昭明文選」的讀者如個人而言可謂相當方便，且因分上下兩冊攜帶外出隨時檢閱亦相當輕便。猶記河洛出版社當時異軍突起，出版多種標點斷句的夏學叢書，曾風靡一段相當時間。可惜似乎傳聞經營不善、資金周轉出事、抑是其他原因，前後時間似乎沒有多久，便宣告歇業，實讓人扼腕興歎。今日坊間河洛出版社李善注釋「昭明文選」多年來不易見其蹤影。

今日坊間比較實用通行的李善注釋「昭明文選」應是五南圖書公司在一九九一年出版、十六開精裝本，亦分兩巨冊，標列基本定價，粗略換算，新台幣應在六、七百元左右。與前列數種「文選」相較，比較實用，通行較廣，應該是將胡氏考異分別列在正文、注釋出現的最下一欄，讀者不必費神前後翻來覆去，即可將正文、注釋訛誤校對，如此閱讀勢必更爲順暢。從書後標示的出版幾刷，不難明白讀者青睞頗眾，實是相當可喜。回頭再來說說「增補六臣注文選」一二點滴。如果個人記憶無訛的話，藝文印書館出版有線裝本，因手頭沒有該書，到底分為幾函、幾冊，詳情不得而知。倒是華正書局似乎幾十年前，就出版有如漢京文化同樣古迂書院刊本的「增補六臣注文選」，到底何時售罄無法確定。個人多次利用劃撥購書，從圖書目錄得知，僅有書名，卻未列六臣〈李善、呂延濟、劉良、張銑、李周濟、呂向〉姓名，也沒標示價格。個人亦曾多次去電，僅獲知該書售罄多年，何時會再出版無法確定云云。日子一天一天過去，事煩心雜，原本漸漸淡忘，沒想到農曆春節剛過，卻從華正書局寄來的圖書目錄發現「增補六語注文選」雖仍未列六臣姓名，卻有八八〇元價格標示，當時喜出望外，隨即去電查詢，該書確有再版。隨即再劃撥。當時心想既然李善注釋「昭明文選」，再版的正文、注釋、考異皆有斷句標點。依常情推測，「增補六臣注文選」應該正文、注釋會比照有斷句標點，或許多少能刷去二三十年來對漢京文化那本古迂書院刊本「增補六臣注文選」缺憾。讓個人相當失望，近日接獲該書，來往僅僅數日，工作效率讓人敬佩，可惜卻仍是漢京文化同一版本影印，正文注釋依舊沒有標點斷句。唯一稍感安慰的，頁數雖偶有誤倒，卻不再有全頁空白的怪事。

如果個人記憶無訛的話，前幾年不知在那裏見到彼岸出版斷句標點的「增補六臣注文選」。雖然多次在若水堂、問津堂、明目書社幾間專售彼岸出版品的門市尋尋覓覓，卻始終沒有發現其踪影。亦曾多次拜託親友前往彼岸旅遊能代為關注查詢，卻也始終都無下文。個人雖然涉獵傳統古籍多年，惜生性魯鈍懶散，書架琳瑯滿目，横豎雜錯的古籍幾乎全有標點斷句。如有鍾愛而又必備必讀的專著，有時購回沒有標點斷句的版本，僅能無奈，斷斷續續在閱讀他書引及的零散片段，隨時比對，順便再標點斷句，雖說十分惆悵不願，卻也是不得不退求其次的笨拙技倆。今試舉一例，或許能夠讓人體會其間的甘苦心酸。四十年前就讀中文系選讀「詩經」課程，從時賢屈萬里〈翼鵬〉的「詩經」專著裏，多次提及清儒馬瑞辰的「毛詩傳箋通釋」是最佳一部對「詩經」字義解釋，能夠擺脫獨尊一家惡習，摒棄拘守門戶陋習的專著。當時個人就買回中華書局出版依據南菁書院續經解本校刊的「毛詩傳箋通釋」，廿五開平裝本，分三冊，標列基本定價，粗略換算新台幣應在二百元左右。日子一天一天過去，個人也是採取那種無奈惆悵不願，又是不得不退求其次的笨拙技倆，今日檢視多年來斷斷續續的標點斷句，有鋼筆，有原子筆，亦有鉛筆的字跡，且新舊濃淡雜然並陳，讓人徒留尷尬苦笑。說來實在讓人無法相信，彼岸在一九八九年三月就出版十三經清人注疏，陳金生點校的「毛詩傳箋通釋」。個人猶記得當時在問津堂的門市欲尋購「增補六臣注文選」，幾乎都空手而歸。竟然沒料到在書架發現「毛詩傳箋通釋」赫然在目，隨即購回，亦是廿五開平裝本，亦分三冊，標示二〇〇四年二月北京第三次印刷，定價人民幣六十五元，粗略換算新台幣應在三百元左右，更爲巧合亦是中華書局出版發行。個人從頭到尾逐字逐句比照標點斷句，閱必全書，今日再檢示知道時間是二〇〇四年十一月廿七日凌晨。個人今屆耳順，想想人生有幾個三四十年，想想所剩歲月又有多少呢?難怪古人會有「晝短苦夜長，何不秉燭遊」的浩歎。

乍見陳之藩

「世說新語」的〈任誕篇〉有這麼一段故事，原文是這樣的：王子猶居山陰，夜大雪，眠覺，開室，命酌酒。四望皎然，因起徬徨，詠左思〈招隱詩〉，忽憶戴安道。時戴在剡，即便夜乘小船就之。經宿方至，造門不前而返。人問其故，王曰：「吾本乘興而行，興盡而返，何必見戴？」

二〇〇六年十二月十四日清晨閱報，得知昨日陳之藩教授獲頒「桂冠文學家」。今日將有一場座談會在頒贈的北部某私立大學舉行。報導又載有陳教授還將在十七日下午在台北市公務人力發展中心舉行公開演講座談，主題是：「從劍河倒影到看雲聽雨」。猶記得二〇〇五年三月三日那天首次拜訪李家同教授，曾冒昧希望透過他的介紹，能夠與心儀四十年的陳教授見面。李教授僅僅微笑提及他在香港某大學任教，其餘就一無所悉。幾次都有衝動直奔香港一了心願的念頭。因爲今日這場演講座談會，報載沒有說明時間地點。個人是電腦網路的盲者。隨即電請忘年摯友黃君代爲查詢。獲知是下午三點起，六點結束。前後預計三個鐘頭，地點是該大學的五館三樓。

搭乘民營客運，開始僅僅天黑陰霾，沒想到愈往北，漸漸落雨，冷風又颯颯颼颼，經過將近三個鐘頭，客運駛下交流道時，竟然滂沱大雨，氣溫就像氣象報告所預測的，幾乎比往日陡降十度左右。因爲身沒帶傘，又無處購傘，心想既然距離演講座談還有一段時間，就利用一邊午餐，一邊再讀隨身帶來的剪報。陳教授一再謙稱他寫的東西「雜七雜八」，不夠稱爲文學家，勉強是個雜學家。對不少教師都鼓勵年輕學生閱讀他的作品，陳教授戲謔笑說現代小孩較不聽話，他的作品可能有些「咒語」，對管教小孩稍有助益。陳教授雖然已經八十高齡，講話走路都有點吃力，但是話匣一開又滔滔不絕。一會稱讚胡適和徐志摩的作品，一會又批評魯迅的文章。他還特別強調，即使經過這麼多年，他還是一提魯迅就生氣，一提胡適就感激。報載最後提及陳教授年輕時候就是胡適的忘年小友，且被譽爲是胡適白話文革新後的第一位傳人。可是胡適曾經埋怨他「不能只寫『旅美小簡』這種業餘的東西，寫文章要開門見山，水清見底才行。」沒想到他竟以「開門見山就走不過去，水清見底就沒有魚」回嘴，讓胡適啼笑皆非。

外面滂沱大雨似乎沒有停止跡象，搭乘的士到達座談會的現場，前面有五六位西裝革履的男士，另有一位打扮頗爲時髦的女士。應該是學生的接待服務禮貌微笑前來：「這位來賓是……」個人身著頗爲過時又邋遢的夾克，又逢豪雨，應該是相當狼狽，隨即尷尬說：「不不，我是讀者。」他似乎有點疑惑，讀者年紀怎麼這麼老？然後尾隨彳亍，說來實在千載難逢巧合，竟然擠進同班電梯，從外表裝扮，個人揣測果然不錯，講話走路都有點吃力的正是陳之藩教授本人，而那唯一裝扮入時的女士，正是她的新婚不到五年的夫人童元方教授。兩旁簇擁的果然也是座談會的主持人，出版單位的負責人等等。大約下午兩點卅分左右。他們一行都先後在座談會場前的招待處一一簽名，陳之藩教授仍如他在一九七七年二月的「蔚藍的天」序，一九八四年十一月的「一星如月」序的簽名，倍感溫馨自然。隨後個人趨前將事前利用公文紙袋備妥的拙作送他，並說：「冒昧送你一本書。」他相當專注看看個人。童元方教授接著說：「是你自己的作品嗎？」旁邊就有人說：「你是他的什麼人？」又有人說：「你是哪個單位？」個人僅僅點頭微笑，不出一語，然後踽踽低頭向會場走去。

或許是陳之藩教授年事已高，鄉音頗重，或許是廣播音響效果，或許是個人聽力向來不聰，似乎覺得那天演講座談會，說演講不像演講，說座談又不像座談。個人總感覺前後似乎斷斷續續，沒有明顯的主題，這就不像他的散文一向有條不紊，文脈清澈，不像他的散文遣詞造句「沒有模稜，不作非分」的風格。相信大家都知道陳之藩教授喜歡讀書，幾乎什麼時候都手不釋卷。本身從小就深受古文詩詞經典薰陶奠定醇厚基石，而又接受西方新學浸漬，聰明睿知姑且不說，從他幾十年來所寫的散文，對於他從閱讀種種不同書籍，而後擷採林林總總的知識，在匯集轉化爲個人的洞見，這種能耐，一般人恐怕就相當戛難企及。而那天座談抑是演講，根據個人臨場筆記，抄幾句聽的比較清晰的觀點，可是與前後片段似乎又無法連結。如說：「台大中文系畢業，英文沒有一個好的。」當然這是調侃他的夫人，只是一片掌聲笑聲。如說：「現代兒女沒有工夫也沒有能力孝敬父母。」當然這也是針對台下莘莘學子諄語，卻也只是一片掌聲笑聲而已。其他幾句或許與時事政情有些暗示，如說：「南開大學下午四時以後必須去運動，而且必須會游泳。」如說：「唱高調，說假話，就愛欺騙。榮譽是各種誤解的組合。」等等，別人的感受如何，個人無法知悉。雖然個人一向不喜參與類似廟會趕集的演講抑是座談，不管是文學抑是藝術。依個人對陳之藩教授散文四十年來的嗜愛，幾乎收集五十年來各類裝訂編印，不同出版書店所有他的散文集子，個人腆顏不慚認為這是一場變調的演講座談。讓個人心痛的這場演講座談，似乎對幾十年來讀者衷心喜歡陳之藩教授散文，恐怕是不敬且又傷害。更讓人詫異的，隔天的媒體竟然沒有任何報導這場演講座談的版面。

又見黃春明

應該是廿五、廿六年前泛黃陳舊的往事，記憶卻一幕一幕歷歷在目。那時一場幾乎被冗長摧殘的病魔奪去一生的惡夢，迄今主治大夫始終不願證實病名的惡疾，甫一痊癒，心有餘悸。報名參加三天兩夜在南鯤鯓舉辦的塩分地帶文學營，也是個人一生幾十年來唯一參與的大型文藝活動。報名參加的主要動機，是要見見當時僅僅首次在台出版「將軍族」、「第一件差事」兩本短篇小說集的陳映真，依稀猶記得他當時演講的題目是托爾斯泰。那時又幸運遇見以「看海的日子」中篇小說飲譽文壇一時的黃春明。一生裏讓人畢生難忘的當然不少，而這次可說是最鮮明又讓人回味的。

二〇〇七年四月，從媒體報導知道黃春明當台灣藝術大學的駐校作家，且要公開發表一系列專題演講。首場是四月十六日下午二時至四時，在台藝大綜合視聽教室的「故事與創意——敘事形式的藝術」，歡迎各界人士聽講。那場幾乎沒有中斷休息，又無冷場，完全是黃春明獨角演出。詳細情形不必再贅，可是提到他一再被退學，從羅東，頭城中學到台北、台南、屏東師範學校，他戲稱是「流學」。而從台灣頭一路流到台灣尾，如果還有路可走，那就是巴士海峽了。猶記得他特別提及「看海的日子」的妓女白梅，便是他遭退學浪蕩在台北風化區寶斗里，保安街等處所見所聞給他的靈感，引起他的創作動機。「看海的日子」結尾，黃春明是這樣寫的：梅子又像在祈禱似的自言自語的說：「不，我不相信我這樣的母親，這孩子將來就沒有希望。」

如果估計無誤，寫「看海的日子」的黃春明當時應當是三十左右的年紀。四十幾年來，或許是他的工作重心開始轉移到兒童文學、戲劇，營造社區總體文化。雖然在一九九九年曾出版過短篇小說集「放生」，可是三、四十年前，他就說要創作的長篇小說「龍眼的季節」卻讓讀者望眼欲穿，有如石沉大海的渺茫感覺。二〇〇七年五月二日那天，隻身再度去見他，面談時間前後僅僅三四十分鐘而已。問他「龍眼的季節」何時可以跟讀者見面。他呵呵笑著說起緣由，「沒有辦法，寫小說似乎要一氣呵成，斷斷續續實難有美麗結局」。讓個人憶起有次曾冒昧向陳映真請問，依他的寫作小說才華，爲何不寫長篇小說，因爲個人始終確定認爲決定小說家的地位應當是長篇小說。他認爲這種看法並不正確。他並以契可夫與莫泊桑爲例，印證短篇小說也沒有妨礙他們獨立成家的地位。接著他再以寫作中篇小說——「忠孝公園」的經驗，讓他覺得寫七八萬字的中篇小說，爲顧及全面場景、格局、人物等等讓他倍感心力交瘁，他才浩歎托爾斯泰的「戰爭與和平」、杜氏托也夫斯基的「卡拉左氏夫兄弟們」等的偉大。從黃春明說他目前在某報的副刊有個專欄，且曾經發表過兩篇小說，才知道爲何十年來，經常披露他的小說的聯合報副刊始終沒有他的蹤影。從他的語氣推斷「龍眼的季節」似乎沒有動筆，即使動筆，恐怕寫的也沒有多少，接著他半開玩笑說，爲你，我一定早日完成「龍眼的季節」。雖說個人從未寫過小說，但從中外小說家的親身經驗，當然可以體會小說寫作過程的辛酸。想想王文興的「家變」、「背海的人」兩部長篇小說花費他多少時間才完成的。想想詹姆斯．喬伊斯的長篇巨構——「尤利西斯」又花費多少日子才完成的。據說喬伊斯自己估計「尤利西斯」寫作全書耗費約兩萬小時。有時一整天只寫出兩句。有時長僅六個字的句子卻耗費數小時才定稿。第十四章長達四十多頁，花費一千小時。陳映真重度昏迷的噩耗是披露於二〇〇六年十月十六日的中國時報，黃春明聞訊後，據說是一語不發，然後深深嘆息說：「映真是我文學道路上最重要的朋友。」多年來陳映真一再相當關心個人的閱讀與健康狀況。二〇〇六年六月，他被邀赴北京講學前幾天，個人曾在某個風雨交加的傍晚，趕往台北跟他們伉儷見面。行李一包一包打紮零亂卻有序，談到經濟遭他人波及、拮据困窘，「人間」雜誌過去及未來的種種，尤其是他的健康。永遠無法忘記他開門說的那句話，「你看我是不是削瘦了？」往日每在台北見面，他神采飛揚又精神奕奕侃談滔滔不絕，那天讓個人詫異的不是他有沒有削瘦，而是感覺他似乎相當的疲憊。據說他們伉儷原本計畫在彼岸定居，竟然意外二度中風。對這件事，據說黃春明，尉天驄都不願多談。只說陳映真「太天真了」、「是個無可救藥、過度執著的理想主義者」。幾個月來，個人整日悽悽惶惶，坐立難安，從多個管道皆無法獲知信息，最後不得已寫掛號信到彼岸北京朝陽醫院代爲轉達，未料事隔多日信函竟遭退回。從黃春明那裏，知道陷入重度昏迷後的陳映真，目前甦醒後，右手癱瘓，僅能靠左手持筆，雖能開口，外人卻不知他表達什麼等等。知道他轉往類似私人療養醫院，彼岸又高度禮遇關切照顧，對他的健康恢復有預期信心。並要設法將那封無法投遞而被退回信函，無論如何要轉交給陳映真。提到陳映真，我們都一再提及他的寫作是意念先行。個人當時就說意念先行是不是強調意識型態的操作，黃春明認爲正是如此。

話題最後轉到閱讀，當代作家的表現。個人問他閱讀的範疇，沒有想到因爲他有日語素養的背景，較多時間閱讀日文的雜誌報紙。他特別提及兩三種日文報紙雜誌，個人對日文一竅不通，實在汗顏無法知悉他所提及的種種。猶記得他一再強調目前台灣文壇比較活躍的新銳小說家，並不是說他們寫的小說好不好的問題，僅是對他們創作小說方式手法不敢苟同。當時個人忘記問他，目前彼岸較引人注目的作家如王安憶的「長恨歌」、賈平凹的「秦腔」、莫言的「紅高粱家族」、李銳的「舊址」、閻連科的「爲人民服務」等長篇小說，他有沒有看過，他又有什麼看法評價。他認爲創作小說，不管是後現代，不管是解構，最重要的是能使讀者感動，他再三強調感動。如果下次再見他，個人必先問他彼岸小說家的種種。個人有時同樣一本小說，海峽兩岸的繁體簡體兩種都會購買，對簡體的閱讀，不管小說抑是學術論文專著仍不習慣，黃春明強調他似乎沒有遇到這種問題。因為家裡訂的是聯合報，並不時零購中國時報，偶而都可見到施叔青的小說。沒想到黃春明竟然也肯定施叔青是目前最用心且深具功力的小說家。她的香港三部曲：「她名叫蝴蝶」、「遍山洋紫荊」、「寂寞雲園」，雖然贏得外界相當肯定推崇，個人卻是偏愛她的台灣三部曲。首部「行過洛津」初版二〇〇三年歲暮問世以來，施叔青的成績實在讓人刮目相看。令人感傷的是當年活躍台灣文壇，風靡一時的小說家，不幸殞落的如王禎和。許久沒有小說問世，或將重心放在其他的白先勇。而陳映真重拾健筆，短短兩三年就寫出〈歸鄉〉、〈夜霧〉、〈忠孝公園〉三篇，外界頗寄以厚望，未料突然又遭逢重疾打擊。對他們那一代，相信都企盼黃春明的「龍眼的季節」早日問世，必可彌補這段空白的缺憾，黃春明說他必定儘快完成，實在無法像他昔日小說的一氣呵成，那也只好不得不退而求其次。斷斷續續，逐步逐步來推展，個人心想他實在是萬般無奈。

同樣是女性作家，個人也準備多時，擬見面向黃春明請教的蕭麗紅小說的種種，竟然也一時忘記。蕭麗紅的「桂花巷」、「千江有水千江月」、「白水湖春夢」等三部長篇小說，幾乎本本暢銷，但是她又不像那些譁眾取寵的暢銷作家，一味迎合讀者胃口，除騙取稿費外，似乎沒有什麼深度。蕭麗紅卻是完全不浪費她的才華，粗估她幾乎每十年才創作一部小說。而且更讓人詫異的，似乎從沒有在她的小說集，或者報刊雜誌裏，看到她的照片、年紀、學歷，或者是小說風格特色成就等廣告的敘述。個人深居簡出，窮鄉僻壤，孤陋寡聞，似乎很少見到她的小說相關的報導評介。可是她絕非那種年年出書，甚者年出兩三本的暢銷作家可以媲美的。或許個人偏見鍾愛，從張愛玲的長篇小說「半生緣」以後，對女性愛情觀點如此細膩，愛情故事如此淡淡哀愁、惆悵，發揮如此淋漓盡緻，實在罕見。有些人似乎將王安憶的「長恨歌」一再提出探討，個人或許膚淺無識，總感覺王安憶的「長恨歌」跟張愛玲的「半生緣」並列探討，似乎缺少什麼，可是個人卻又無法說出缺少又是什麼。而對蕭麗紅的長篇小說不時一再接觸，總感覺她的味道似乎與張愛玲十分相似。姑且拋開這些不論，從「白水湖春夢」初版發行以來，又經過十幾年，依她寫作習慣的時間而論，似乎她讓讀者殷切企盼的長篇鉅著也應該再度出現文壇。可是截至目前，仍渺渺無期，這樣心情似乎又相當類似淡淡哀愁、惆悵。如果下次再見黃春明，個人也將問他對蕭麗紅長篇小說的種種。似乎曾經在廣告裡有她的短篇小說集，可是始終沒有找到，否則或許能多少增加對她的了解，唯有期待他日。

後記

攤開卅幾年前泛黃信紙，你說：「上次看你寫的那篇文章還不錯，你應該繼續寫下去，盼望能看到那篇文章的全貌。」接著你說：「你看過那麼多書，何不寫些感想或書評。」最後你又說：「我知道你絕不會讓我失望，就像自始至終，我信任你一樣。」或許是命運弄人，原本就對事雜心煩的行政工作深惡痛絕，卻不幸在卅幾年教育工作生涯，擔任兩間不大不小的學校主管，竟然長達廿年左右。應是閱讀興趣使然，親友都懷疑個人那裡有時間讀書，那裡有心情寫作。或許要感謝你說的「何不寫些感想或書評」那句話。

卅幾年前，斷斷續續在「中外文學」、「書評書目」、「幼獅文藝」、「中華文藝」等雜誌及「中央」、「中華」等日報的副刊，發表幾乎全是文學範疇的感想或書評。而在一九八三年二月竟然又自不量力，將那些長短不一，大約卅篇左右感想或書評結集付梓。而後幾乎有廿年的時間，個人重新整理塵封多年，與古籍校釋和今註今譯相關的感想或書評。絕大部分發表於「東方雜誌」、「孔孟月刊」等刊物。大約亦是卅篇左右，在二〇〇一年十月也結集付梓。

兩書出版相距長達將近廿年，這段日子個人先後又發表大約六七萬字與前書性質相似的感想或書評。個人心想前書有少數訛誤，又有標點誤植，不妨藉此修訂，並將那六七萬字併入，了結多年心意，豈非美事。

二〇〇二年暮春，去電函告。結果是：「有意修訂實是美事。庫存尚多，估計短期不會印製新版。」寥寥數語。時隔將近一年，彼此多次函電連絡，二〇〇三年初春，結果是：「若要修訂，須等舊版銷完，再版才符效益。庫存尚多，銷售情形並不樂觀。現今資訊爆炸，速成文化充斥。再加教育的偏差，閱讀風氣普遍不佳。尤其有關文學方面的著作，更是乏人問津。近年經濟不景氣，此情此景更是雪上加霜。建議不妨另尋他途出版。」事後獲知所謂「另尋他途」有二：一是個人買回庫存，分贈親友。二是個人多寫幾篇，另外結集付梓。心想不管如何，對方終是好意。事隔半載，個人才決定多寫幾篇如〈周夢蝶的無字天書及其他〉、〈黃春明選集〉等比較冗長的文字。另外〈斯文掃地——鬻書記〉、〈陳映真早期小說的死亡故事〉等更是卅年前的舊稿。雖是舊稿，像〈陳映真早期小說的死亡故事〉卻經個人大幅調整重新修改寫成。

年屆耳順，未來剩餘歲月畢竟相當有限。回溯往日豪氣干雲，苦心矻矻卻始終沒有繳出傲人的成績，如今年老耄耋，還侈言奢望有什麼成就，恐怕徒留他人揶揄譏諷。如果蒼天悲憫個人，不吝多賜苟延殘喘歲月，企盼能逐步完成「昭明文選」、「史記」等書的校釋工作，爲兩岸三地所有大學的中文系所略盡棉薄，提出比較完善的閱讀輔助教材，那對個人而言將是不虛此生。有不少至親好友一再懷疑個人爲何還有時間，還有心情不斷讀書不斷寫作，個人實在無法回答，個人不否認喜歡讀書，可是畢竟沒有讀出什麼名堂。個人亦不否認曾經寫作，可是那也畢竟沒有寫出什麼創見，勉強可說僅是抄抄資料，如是而已。爲對至親好友數十年來持續不斷對個人的關注與厚愛，願提彼岸一二個人素昧平生，目前仍然健在，相信不少讀者仍相當陌生的時賢王滬寧、周克希的行事風格與心靈世界。一則表達個人對兩位時賢的崇高敬意，二則聊當爲對至親好友的纖芥感謝。

王滬寧是彼岸領導人的重要智囊，一向被譽爲「政壇第一文膽」。根據報導，他的身分是教授和博士導師，還有很多頭銜。因爲行事相當低檔，外界對他所知相當有限。有時別人介紹他是學者本是自然平常，他卻隨時提出更正否認，僅淡淡地說：「不，我只是個讀書人。」根據他的學生轉述，雖然讀書人僅僅是謙遜，可是想想在學術界真正被稱爲讀書人而當之無愧，恐怕沒有幾個。而王滬寧讓人印象最深刻的是勤奮閱讀。他的學生都將他的勤奮精神當爲榜樣，拿來鼓舞自己。根據報導，他的學生在復旦大學借的每一本書，都隨時見到王滬寧在借閱卡的簽名，表示他也曾經借閱過該書，可見他讀過的書不知有多少。他的學生毫不保留坦然地說：「讀書和寫作已經成爲他不可割捨的生活。」就有人曾問王滬寧，他的一生最大的願望是什麼？」他說：「讀幾本好書，教幾個好學生，再寫幾本好書。」

周克希是彼岸華東師大的數學系教授。根據資料顯示，他業餘從事翻譯工作，從一九八二年以來，已經先後譯出多部的文學作品。而十九世紀末、二十世紀初法國偉大的小說家馬賽爾・普魯斯特（一八七一——一九二二）利用他生命最後的十五年，以時間當爲主軸，完成那部法文原作厚達三千頁，感歎韶光易逝，緬懷個人際遇的曠世鉅構，早期譯爲「往事追憶錄」，今日譯作「追憶逝水年華」。根據資料獲知該書未經修改的第一卷初稿完成於一九〇九年左右，但投稿無門，出版商甚者譏諷普魯斯特「居然能用三十頁的篇幅，來滔滔不絕地描寫他在床上如何輾轉反側，難以入眠。」一直延遲到一九一三年，才勉強找到同意讓作者自費付印的出版書商。根據資料獲知譯作「追憶似水年華」的舊版，首次出現是一九九一年，距法文原著初版整整將近一個世紀，而且是十五位譯者合作成書。周克希僅負責該書第五卷（即〈女囚〉）中譯的第一頁——一二二頁的第一二行而已。而讓人更詫異的，舊譯的「追憶似水年華」的十五位譯者，僅僅周克希出身數學系，其餘十四位全是與外文有關的科系出身。因爲合作成書，難免出現前後風格不一，遣詞用字敘述手法各異，甚者對敘述者（主角）的心理狀態解讀不同等等遺憾。周克希翻譯前面所提的第五卷部份外，後來他又應其他出版社翻譯過該書的節本。周克希強調要讓普魯斯特「感受到的時間，在使用另一種語言的讀者心中復活，到今天爲止還是一個相當艱難，尚未完成的使命。」他說經過相當時間的猶疑和準備後，他整整花費一年半時間，譯成僅僅是全書七卷的第一卷（即〈去斯萬家那邊〉）。依照計畫，「前四卷各譯一年半，後三卷各譯一年」，換句話說，前後必須九年才能完成全書翻譯。想想人生有幾個九年的工作能力。可是周克希卻認爲與普魯斯特幾乎足不出戶，整整十五年全力以赴的創作比較，九年的翻譯時間並不算長。儘管如此，他僅將舊譯書名「追憶似水年華」的「似」改爲「逝」而已。周克希目前日夜正爲「追憶逝水年華」轉換爲另一種語言而奮戰的同時，他更建議讀者面對這部連法國知識分子也感歎不易讀懂的「意識流小說先河」卷帙浩繁，令人嘆爲觀止的經典，必須「靜下心來慢慢地總有一天會讀的進去。」